S. D. & W.
Desk Copy 1927

R. B. W. MacNeil.
214 Hillcrest Rd
Rockcliffe, Ont. Canada
or
Ashbury College
of
Sarum Rd??

14th May 1947

Rouget de Lisle chantant la Marseillaise chez le maire de Strasbourg

(*Tableau de Pils*)

# FIFTEEN FRENCH PLAYS

ARRANGED AND EDITED

BY

VICTOR E. FRANÇOIS, Ph.D.
OFFICIER D'ACADÉMIE
ASSOCIATE PROFESSOR OF FRENCH
COLLEGE OF THE CITY
OF NEW YORK

ALLYN AND BACON

BOSTON     NEW YORK     CHICAGO
ATLANTA     SAN FRANCISCO

COPYRIGHT, 1919, BY
VICTOR E. FRANÇOIS

DAR

**Norwood Press**
J. S. Cushing Co. — Berwick & Smith Co.
Norwood, Mass., U.S.A.

*A*

*Deux Petits Parisiens*
*Mon Filleul Hubert-Victor*
*et*
*Sa Sœur Marie-Thérèse*

# TABLE OF CONTENTS

|  | PAGE |
|---|---|
| La Leçon de Français | 1 |
| La Poupée | 10 |
| Les Pauvres Gens | 13 |
| Les Étrennes | 16 |
| L'illustre Dupinchel | 20 |
| Les Mois et les Saisons | 24 |
| Nicette | 30 |
| Le Médecin Mystifié | 36 |
| L'Avocat Patelin | 42 |
| Dans un Ascenseur | 49 |
| L'Initiation | 57 |
| La Surprise d'Isidore | 71 |
| A la Chambrée | 85 |
| Les Deux Sourds | 96 |
| Le Médecin malgré Lui | 115 |
| Notes | 133 |
| Abbreviations | 152 |
| Vocabulary | 153 |

# PREFACE

THIS little volume was prepared as an aid to the mastery of spoken French. These *Fifteen French Plays* contain a lively exchange of short questions and quick answers, resembling more than anything else everyday conversations. For oral work they have a decided advantage over novels with their stilted style and long tedious descriptions.

Another advantage in the reading of these plays is that they familiarize the pupils with the various persons, singular and plural, and the various tenses, whereas novels are generally written in the third person and in the narrative tense.

Most French plays are unpopular with American students because they are too long. There is usually too much talk and too little action, and the reader soon becomes wearied. This defect is not noticeable when the play is well acted, but is painfully evident to the reader.

The plays of this collection are all so short, and the subjects so varied that it is hoped that every page will be found interesting, and that, with their simple scenery, they may be easily performed in classes and clubs.

*La Leçon de Français* was suggested to the editor by the reading of a newspaper article from the pen of A. Bonnefon; the idea of *La Poupée* was taken from *Le Teneur de Livres* by Eugène Seymur; that of *Les Pauvres Gens* from the poem of the same title in *La Légende des Siècles* by Victor Hugo.

## Preface

The beginning of *Les Étrennes* (concerning the janitor) was gotten from an anonymous newspaper article; the rest the editor arranged. The idea of *L'illustre Dupinchel* was borrowed from a short story bearing the same title by Saint-Juirs. *Les Mois et les Saisons* and *l'Initiation* are the work of the editor; the poems in *Les Mois et les Saisons* are from anonymous or obscure poets except the one on *L'Été*, which is by Victor Hugo. *Nicette* is adapted from a short story by Jacques Peltier. *L'Avocat Patelin* is composed of a few scenes of the last act of the famous play *La Farce de Maître Patelin* (fifteenth century), modernized by Brueys and Palaprat. *Dans un Ascenseur*, *A la Chambrée*, *Les Deux Sourds* are abridged from the plays bearing the same titles and respectively written by Louis Bridier and Édouard Philippe, Matrat and Fordyce, and Moinaux. *La Surprise d'Isidore* is a shortened translation of the Spanish play *La Sorpresa de Isidoro* by Francisco Javier Yanes. Molière's well-known farce, *Le Médecin malgré Lui*, has been greatly abridged and modified here and there for obvious reasons.

Hearty thanks are due to Professor Auguste George of the Wadleigh High School, New York City, Chevalier de la Légion d'Honneur and Président de la Société Nationale des Professeurs Français en Amérique, who was kind enough to read the manuscript and made several valuable suggestions.

V. E. F.

August, 1919.

# FIFTEEN FRENCH PLAYS

# LA LEÇON DE FRANÇAIS

*Fantaisie en un acte*

### PERSONNAGES

Jeanne, Odile, Suzanne, Berthe, Lucienne, Charlotte, Marie, *élèves, en costume alsacien.*
Une Sœur,[1] *en cornette blanche et en robe noire.*
Un Inspecteur.

*Le théâtre représente la salle d'école d'un village alsacien. Un drapeau français pend près de l'estrade.*

## SCÈNE UNIQUE

La Sœur, *entrant, accompagnée de l'inspecteur.* — Bonjour, mes enfants. (*Toutes les élèves se lèvent.*)

Toutes, *en chœur.* — Bonjour, ma sœur;[2] bonjour, monsieur.

L'Inspecteur. — Bonjour, mesdemoiselles. (*Il s'assied.*)

La Sœur, *à Suzanne.* — Viens ici, Suzanne.

Suzanne. — Oui, ma sœur, je viens.

---

[1] Ou une institutrice en costume d'infirmière de la Croix Rouge. La classe peut être mixte ou composée de garçons : Jean, Pierre, Charles, Émile, Lucien, Claude, Albert. Dans ce dernier cas le maître est un soldat français réformé et décoré de la Croix de guerre.

[2] Ou *mademoiselle* ou *monsieur,* selon le cas.

La Sœur. — Montre-nous les différents objets de la salle. Qu'est-ce que c'est? (*Elle montre la chaise. Toutes les élèves lèvent la main à chaque question, mais aucune ne répond sans être appelée.*)

Suzanne. — C'est la chaise, ma sœur.

La Sœur. — Qu'est-ce que c'est que cela? (*Elle indique la table.*)

Suzanne. — C'est une table, ma sœur.

La Sœur. — Et où est le tableau?

Suzanne. — Le voici, ma sœur.

La Sœur. — Où sont les livres?

Suzanne. — Les voilà, ma sœur.

La Sœur. — C'est bien; va t'asseoir. (*Suzanne retourne à sa place.*) Que fais-tu?

Suzanne. — Je retourne à ma place et je m'assieds.

La Sœur, à *Lucienne*. — Lève-toi, Lucienne. (*Lucienne se lève.*) Que fais-tu?

Lucienne. — Je me lève, ma sœur.

La Sœur. — Montre-moi tes mains.

Lucienne. — Les voilà, ma sœur.

La Sœur. — Combien en as-tu?

Lucienne. — J'en ai deux.

La Sœur. — Lève la main gauche.

Lucienne. — Je lève la main gauche.

La Sœur. — Combien de doigts chaque main a-t-elle?

Lucienne. — Chaque main a cinq doigts, ma sœur.

La Sœur. — C'est bien; tu peux t'asseoir. (*A Jeanne.*) Quels sont les noms des cinq doigts de la main, Jeanne?

Jeanne. — Le pouce, l'index, le majeur, l'annulaire et le petit doigt, ma sœur.

## La Leçon de français

La Sœur. — Montre l'index de la main droite.

Jeanne. — Le voici, ma sœur.

La Sœur. — Pourquoi nomme-t-on ce doigt l'index?

Jeanne. — On le nomme ainsi parce qu'il indique les objets.

La Sœur. — Montre le majeur de la même main.

Jeanne. — Le voici, ma sœur.

La Sœur. — Pourquoi le nomme-t-on le majeur?

Jeanne. — Parce qu'il est le plus grand, le plus long de tous les doigts.

La Sœur. — Cela suffit; assieds-toi, Jeanne. (*A Marie.*) Montre l'annulaire de la main gauche.

Marie. — Le voici, ma sœur.

La Sœur. — Que fais-tu?

Marie. — Je montre l'annulaire de la main gauche.

La Sœur. — Pourquoi appelle-t-on ce doigt ainsi?

Marie. — Parce que c'est le doigt où l'on met ordinairement l'anneau.

La Sœur. — Donne-nous un synonyme du mot *anneau*.

Marie. — Le mot *bague* est un synonyme d'*anneau*, ma sœur.

Charlotte, *se levant*. — Ma sœur, Odile connaît une jolie anecdote. Permettez-lui de nous la raconter.

La Sœur. — Eh bien, Odile, lève-toi et dis-nous ton anecdote.

Odile, *se levant*. — La voici. Une famille est à table. Le domestique dit à la servante qui lui sert le café au lait: « Donnez-moi beaucoup de café, je vous dirai pourquoi. » Elle lui fait signe de se taire, mais il continue: « Donnez-moi aussi beaucoup de

crème, je vous dirai aussi pourquoi. — Très bien ! »
dit la servante en remplissant la tasse jusqu'au bord.
Alors elle dépose la cafetière sur la table pour attendre
l'explication. « Eh bien ! qu'attendez-vous ? » lui demande le domestique. « Que vous me disiez pourquoi. — Ah ! c'est parce que je mets beaucoup de
sucre ! » répond-il tranquillement. (*Tout le monde
rit.*)

BERTHE, *se levant.* — Moi, ma sœur, je sais aussi
une anecdote.

LA SŒUR. — Eh bien ! raconte-la-nous si elle n'est
pas trop longue.

BERTHE. — Pendant la guerre, des cuirassiers prus-
siens étaient logés dans un village d'Alsace. L'un
d'eux, s'asseyant pour le repas, tira son sabre et le
plaça sur la table à portée de sa main. Le paysan
chez qui ils étaient logés alla chercher sa grande fourche
à l'écurie et la plaça à côté du sabre. « Que fais-tu
là ? » lui dit le cuirassier. « Je mets la fourchette à
côté du couteau. » Là-dessus, le Prussien, tout penaud,
rengaina son sabre. (*On rit.*)

SUZANNE. — Moi, j'en sais une aussi, ma sœur.

LA SŒUR. — Je te permets de nous la dire, mais ce
sera la dernière. (*Elle regarde la pendule.*)

SUZANNE. — Deux officiers allemands passent près
d'un champ qu'un cultivateur alsacien ensemence.
« Sème, grommelle l'un d'eux, sème toujours, et ne
t'inquiète pas de ta récolte ; c'est nous qui la man-
gerons. — Mon Dieu ! » dit le paysan ; « cela n'est
pas impossible ; je sème de l'avoine. » (*Rires et applaudissements.*)

La Sœur, *à Lucienne*. — Maintenant, Lucienne, va au tableau. Que fais-tu?

Lucienne. — Je vais au tableau, ma sœur.

La Sœur. — Prends la craie et écris lisiblement les mots suivants : « Vive la France ! »

Lucienne, *écrit en épelant*. — V majuscule, i, vi, v e, ve, Vive, l a, la, F majuscule, r a n, Fran, c e, ce, France.

La Sœur, *à toutes les élèves*. — Lisez.

Toutes, *se levant et criant en chœur*. — « Vive la France ! » (*L'inspecteur applaudit*.)

La Sœur. — Quelle est votre patrie?

Toutes, *en chœur*. — Notre patrie est la France.

La Sœur. — Est-ce que vous l'aimez?

Toutes, *en chœur*. — Oui, nous l'aimons de tout notre cœur.

La Sœur. — Asseyez-vous. (*A Jeanne*.) Pourquoi l'aimes-tu, Jeanne?

Jeanne. — Parce que c'est la patrie de mes aïeux.

La Sœur. — Et toi, Marie, pourquoi l'aimes-tu?

Marie. — Parce qu'elle nous donne la paix.

La Sœur. — Et toi, Suzanne?

Suzanne. — Parce qu'elle a souffert.

La Sœur. — Comment a-t-elle souffert, Berthe?

Berthe. — Elle a souffert en perdant beaucoup de soldats.

La Sœur. — Qu'est-ce que vous donnez toutes à la France, Lucienne?

Les Unes, *crient*. — Notre cœur !

Les Autres. — Notre amour ! (*Moment de tumulte, grand enthousiasme.*)

La Sœur. — Quel objet nous rappelle ici la France?

Toutes, *se levant et faisant le salut militaire.* — Le drapeau! le drapeau!

La Sœur. — Quelles sont les trois couleurs du drapeau français, Odile?

Odile. — Bleu, blanc et rouge, ma sœur.

L'Inspecteur, *se levant.* — Oui, mes chères enfants, vous avez raison d'acclamer ce drapeau, car ses trois couleurs représentent les trois grands principes de la société moderne: Liberté, Égalité, Fraternité! (*Étendant la main vers la campagne.*) Et sous l'œil même de l'ennemi, pendant près d'un demi-siècle, la vieille terre alsacienne a tissé chaque année l'éternel drapeau de la France. Voyez ces bleuets, ces marguerites, ces coquelicots; c'est le bleu, le blanc et le rouge de l'étendard de la patrie! (*Les petites filles l'applaudissent.*) Ceci me rappelle un petit poème, intitulé *Œufs de Pâques*, de notre bon poète Jacques Normand, et si vous me le permettez, (*Il s'incline devant la sœur.*) je vais vous le réciter.

Les Petites Filles. — Oui, oui, récitez-le-nous, monsieur.

L'Inspecteur. —

### ŒUFS DE PÂQUES

Pour cadeau de Pâques, je veux,
Mon enfant, te donner trois œufs.

Le premier œuf est d'un beau bleu,
D'un bleu de douceur et de fête,
D'un bleu profond, qui semble un peu
D'azur où le ciel se reflète . . .

Pour cadeau de Pâques, je veux,
Mon enfant, te donner trois œufs.

Le second œuf est d'un beau blanc,
D'un blanc aussi blanc que l'hermine
Ou que la neige étincelant
Sur l'humble toit d'une chaumine . . .

Pour cadeau de Pâques, je veux,
Mon enfant, te donner trois œufs.

Le troisième œuf est rouge sang,
Rouge de noblesse et de gloire,
Rouge vibrant et frémissant,
Comme au souffle de la Victoire . . .

Pour cadeau de Pâques, je veux,
Mon enfant, te donner trois œufs.

Sur l'œuf bleu, j'écris : « Charité ! »
Sur l'œuf blanc, j'écris : « Confiance ! »
Sur l'œuf rouge, j'écris : « Fierté ! »
Et sur les trois, j'écris : « France ! »

Pour cadeau de Pâques, je veux,
Mon enfant, te donner trois œufs.

(*Les petites filles applaudissent. La sœur félicite et remercie l'inspecteur.*)

La Sœur. — Pour finir, mes enfants, Charlotte va nous chanter trois strophes de la Marseillaise, et toutes nous l'accompagnerons au refrain.

Charlotte, *prenant le drapeau et l'agitant, chante.* —

## La Marseillaise

### Par Rouget de Lisle

Allons, enfants de la patrie,
Le jour de gloire est arrivé;
Contre nous de la tyrannie
L'étendard sanglant est levé.  (*bis*)
Entendez-vous dans les campagnes
Mugir ces féroces soldats?
Ils viennent jusque dans vos bras
Égorger vos fils, vos compagnes!

Aux armes, citoyens!  Formez vos bataillons!
Marchons (*bis*), qu'un sang impur abreuve nos sillons.

Amour sacré de la patrie,
Conduis, soutiens nos bras vengeurs,
Liberté, liberté chérie,
Combats avec tes défenseurs;  (*bis*)
Sous nos drapeaux que la victoire
Accoure à tes mâles accents!
Que tes ennemis expirants
Voient ton triomphe et notre gloire!

Aux armes, etc.

Nous entrerons dans la carrière
Quand nos aînés n'y seront plus,
Nous y trouverons leur poussière
Et la trace de leurs vertus;  (*bis*)
Bien moins jaloux de leur survivre

>     Que de partager leur cercueil,
>     Nous aurons le sublime orgueil
>     De les venger ou de les suivre !

Aux armes, etc.

> *(On applaudit. L'inspecteur félicite la sœur.)*

# LA POUPÉE

*Comédie en un acte*

PERSONNAGES

JACQUES FERLAC, *teneur de livres.*
MME MARTIN, *marchande de jouets.*

*Le théâtre représente un magasin de jouets.*

## SCÈNE UNIQUE

FERLAC, *entrant et désignant une belle poupée blonde.*
— Madame, pourriez-vous me dire le prix de cette poupée ?

MME MARTIN. — Tout de suite, monsieur. (*Prenant la poupée et consultant une étiquette pendue à son doigt.*) Vingt francs, monsieur.

FERLAC. — C'est cher !

MME MARTIN. — Vous pensez ! Voyez comme elle est belle ! Elle tourne la tête, elle ferme les yeux et dit « maman. » (*Elle presse sur la poitrine de la poupée qui crie « maman. »*)

FERLAC. — Non, je ne peux pas ; c'est trop cher. (*Il semble très désappointé.*)

MME MARTIN. — C'était pour votre fille ?

FERLAC. — Oui ; malheureusement, je ne suis pas riche ; je suis teneur de livres.

## La Poupée

Mme Martin. — Travaillez-vous le soir ?

Ferlac. — J'ai cherché du travail à faire le soir, madame, mais je n'ai jamais eu de chance ; je n'ai rien trouvé.

Mme Martin. — Comment s'appelle votre petite fille ?

Ferlac. — Blanche, madame.

Mme Martin. — Tiens, comme moi.

Ferlac. — Oh ! elle est si gentille et si raisonnable. Aussi, pour qu'elle ne manque de rien, je porte très longtemps le même habit, mais ça m'est égal, pourvu que la petite soit heureuse.

Mme Martin. — Et comme c'est demain la Noël, vous vouliez lui acheter un beau jouet ?

Ferlac. — Oui, madame. En passant, j'ai vu cette jolie poupée ; elle ressemble à Blanche, et tout d'un coup l'envie m'a pris de l'acheter . . . Ah ! madame, si vous pouviez diminuer quelque chose, je l'achèterais tout de même, ne voulant pas vous avoir dérangée inutilement.

Mme Martin, *attendrie*. — Prenez-la, je vous la cède au prix de revient, pour douze francs, mais ne le dites pas.

Ferlac. — Ah ! je vous remercie de tout mon cœur. Blanche sera si contente. (*Il paye la marchande.*)

Mme Martin, *empaquetant la boîte qui contient la poupée.* — Puis, voyez quelle coïncidence ! Je cherche justement un teneur de livres. Jusqu'à présent, je m'occupais moi-même des écritures de la maison, mais je deviens vieille ; j'ai besoin de quelqu'un pour faire ce travail. Venez quand vous voudrez et amenez-moi Blanche. J'adore les enfants; je serai heureuse de la connaître . . . Ah ! j'oubliais . . . Vous aurez cent cinquante francs par mois.

Ferlac. — Cent cinquante francs par mois, madame ! Mais avec ce que je gagne déjà, c'est la fortune ! Oh ! madame, que vous êtes bonne ! (*Il est si bouleversé qu'il s'en va sans emporter le jouet.*)

Mme Martin, *le rappelant.* — Eh bien, et la poupée ? (*Il emporte la poupée en faisant mille protestations de gratitude.*)

# LES PAUVRES GENS

*Comédie en un acte*

PERSONNAGES

LE PÊCHEUR.
JEANNE, *sa femme*.

*La scène représente l'intérieur d'une cabane de pêcheur breton.*

## SCÈNE UNIQUE

LE PÊCHEUR, *rentrant tout mouillé et traînant son filet.* — Me voici, femme !... Quel temps affreux !... Le vent, la pluie, tout s'en mêle. Regarde, je suis trempé jusqu'aux os. (*Il rit.*)

JEANNE, *qui travaille près du foyer, se lève.* — Et la pêche, mon homme ?

LE PÊCHEUR. — Pas un poisson. Je n'ai rien pris du tout et j'ai troué mon filet. Quelle nuit !... Quel tintamarre !... Je n'ai jamais vu de si hautes vagues... Et toi, qu'as-tu fait pendant ce temps-là ?

JEANNE. — Moi... oh ! mon Dieu !... rien ; comme à l'ordinaire j'ai cousu. J'écoutais la tempête qui soufflait. J'avais peur. Je pensais à toi, sur cette mer mauvaise qui prend les maris aux femmes et les pères aux enfants.

Le Pêcheur. — Eh bien, tranquillise-toi. Me voici sain et sauf. (*Jetant son bonnet dans un coin.*) Je t'embrasse et me voilà bien aise.

Jeanne. — A propos, la pauvre veuve, notre voisine, est morte.

Le Pêcheur, *surpris*. — Morte!... oh! la pauvre femme!... Et quand ça?

Jeanne. — C'est hier, sans doute, qu'elle est morte. Dans la soirée, après ton départ pour la pêche, je suis sortie pour voir l'état de l'océan. Alors j'ai pensé à la voisine que je savais malade et seule. J'ai frappé à la porte; personne n'a répondu. J'ai appelé; toujours pas de réponse. Alors j'ai poussé la porte, je suis entrée et je l'ai vue étendue sur son lit, toute blanche. Elle était morte. Près du lit, ses deux petits enfants souriaient, endormis dans le même berceau.

Le Pêcheur. — Ah! les pauvres petits!... Leur père, un brave pêcheur, perdu en mer il y a un an; leur malheureuse maman morte de besoin, que vont-ils devenir?

Jeanne. — Oui, que vont devenir ces pauvres orphelins? Qui va les recueillir? Ils n'ont ni oncle ni tante. Le petit Jean marche à peine, et la petite Madeleine ne parle pas encore.

Le Pêcheur, *marchant de long en large en se grattant la tête; à part*. — Nous avons déjà cinq enfants; cela ferait sept. On ne mange pas toujours à sa faim, et, dans la mauvaise saison, on se passe déjà quelquefois de souper. Comment allons-nous faire? Si petits, on ne peut leur dire: Travaillez... Mais sept, c'est beaucoup. (*Se décidant; à Jeanne qui l'observe anxieusement.*)

    Jeanne, va les chercher. S'ils se sont réveillés,
Ils doivent avoir peur, tout seuls avec la morte.
C'est la mère, vois-tu, qui frappe à notre porte.
Ouvrons aux deux enfants. Nous les mêlerons tous.
Cela nous grimpera le soir sur les genoux.
Ils vivront, ils seront frère et sœur des cinq autres.
Quand il verra qu'il faut nourrir avec les nôtres
Cette petite fille et ce petit garçon,
Le bon Dieu nous fera prendre plus de poisson.
Moi je boirai de l'eau, je ferai double tâche ;
C'est dit. Va les chercher. Qu'as-tu ? ça te fâche ?

    JEANNE, *ouvrant les rideaux d'un berceau.* — Tiens, les voilà !

# LES ÉTRENNES

*Comédie en un acte*

PERSONNAGES

JEAN
LOUISE } *jeune ménage parisien.*

*La scène représente un salon.*

## SCÈNE UNIQUE

JEAN. — Et dire que nous allons stupidement dépenser cet argent que j'ai eu tant de peine à gagner ! Cet argent va passer en cadeaux et en gratifications à des gens qui se soucient aussi peu de nous que nous nous soucions d'eux.

LOUISE. — Il y a des choses que l'on est obligé de faire.

JEAN. — C'est entendu, mais ça m'indigne profondément. Ah ! les étrennes, voilà une coutume qu'on devrait bien supprimer ! (*Prenant du papier et un crayon.*) Faisons la liste de ce que nous avons à donner.

LOUISE, *se rapprochant.* — Oui.

JEAN. — Il y a d'abord le concierge . . . une brute qui, les soirs où nous sortons, nous fait attendre des demi-heures à la porte avant de se décider à ouvrir.

Louise. — Il a peut-être le sommeil dur, cet homme-là.

Jean. — Quand on a le sommeil dur, on choisit une autre profession que celle de concierge.

Louise. — Ce mois-ci, chaque fois que nous avons sonné, il a tiré le cordon presque tout de suite.

Jean. — Parbleu ! Il sentait les étrennes . . . J'ai bien envie de ne rien lui donner du tout.

Louise. — On ne peut pas faire cela, mon ami. Ça se saurait dans le quartier immédiatement. Puis il se vengerait, et la vie serait intenable.

Jean, *haussant les épaules.* — Combien au pipelet ? . . . dix francs ?

Louise. — C'est bien peu.

Jean. — Je ne vais pas tout de même lui donner cinquante mille francs !

Louise. — Tu exagères toujours . . . Quinze francs.

Jean, *avec un soupir.* — Quinze francs au concierge. (*Il écrit.*) Maintenant, passons à la bonne, à cette petite oie d'Yvonne.

Louise. — Mais elle est bien gentille, cette enfant. Il faut certainement lui donner des étrennes.

Jean. — Quel cadeau vas-tu lui faire à cette petite Bretonne ? Une grammaire française ou un dictionnaire ? Elle en a grand besoin ; elle ne comprend pas la moitié de ce qu'on lui dit.

Louise. — Tu es méchant. Yvonne fait de son mieux. Elle ne s'exprime pas encore très bien en français, mais elle est honnête et elle commence à bien faire la cuisine.

Jean. — Allons, c'est entendu. Elle aura son cadeau. Mais quoi?

Louise. — Je n'ai pas encore décidé.

Jean. — Ah! j'ai trouvé!... Tu lui donneras congé toute la journée le premier janvier. Nous dînerons au restaurant et nous souperons chez ma tante Euphrasie...

Louise. — Non, non, chez ma tante Caroline...

Jean. — Chez ta tante Caroline!... (*Imitant la voix criarde de tante Caroline.*) « Mon cher neveu, comment vous portez-vous? »

Louise. — Tu ne dois pas te moquer ainsi de celle qui m'a servi de mère. Tu seras bien content plus tard d'être son héritier.

Jean. — C'est le plus grand plaisir qu'elle puisse me faire... le plus tôt possible, j'espère.

Louise. — N'as-tu pas honte de parler ainsi? Nous devons lui faire un beau cadeau.

Jean. — Ah! fichtre! nous ne sommes pas millionnaires. Qu'allons-nous lui offrir? Un cercueil? (*Il rit.*)

Louise, *indignée*. — Quelle triste plaisanterie? Écoute, j'ai vu à une vitrine un très joli éventail.

Jean. — Un éventail!... en hiver?... En voilà un cadeau! Et puis, ta tante Caroline est maigre comme un clou. Que ferait-elle d'un éventail? Elle ne doit jamais souffrir de la chaleur! (*Il rit.*)

Louise, *furieuse*. — Alors ce n'est pas comme ta tante Euphrasie qui ressemble à un énorme tonneau. (*Imitant la grosse voix de tante Euphrasie.*) « Bonjour, ma nièce; je viens m'inviter à dîner avec vous... »

Elle ne pense qu'à manger. Ce n'est pas un éventail que tu devrais lui offrir à elle ; c'est un moulin à vent. (*Elle rit.*)

Jean, *furieux.* — Parle un peu plus respectueusement de celle qui m'a servi de mère. Tu seras bien contente plus tard d'être son héritière.

Louise, *malicieusement.* — C'est le plus grand plaisir qu'elle puisse me faire, . . . le plus tôt possible, j'espère.

Jean. — C'est bon, c'est bon ; tu as beaucoup d'esprit. Mais toutes ces discussions ne résolvent pas notre problème. (*Réfléchissant.*) Oh ! j'ai trouvé ! . . . j'ai trouvé ! . . .

Louise. — Quoi ? . . . Qu'as-tu trouvé ?

Jean. — La solution. (*Il se lève et danse.*) Chaque premier janvier, ta tante Caroline nous fait un cadeau, et ma tante Euphrasie aussi. Eh bien, nous donnerons à tante Caroline le cadeau que tante Euphrasie nous offrira, et à tante Euphrasie celui de tante Caroline. (*S'éventant avec le papier, et d'un air de supériorité.*) Ce n'est pas plus difficile que ça, et, ça ne nous coûtera rien.

Louise, *railleuse.* — Tu as certainement manqué ta vocation ; tu aurais dû être ministre des finances.

# L'ILLUSTRE DUPINCHEL

*Comédie en un acte*

PERSONNAGES

ANDRÉ, *jeune artiste, bavard et naïf.*
DUPINCHEL, *grand peintre parisien, assez mal mis, la tête couverte d'un bonnet grec.*
DUPUIS, *ami de Dupinchel.*

*Le théâtre représente un compartiment de wagon de troisième classe.*

## SCÈNE UNIQUE

ANDRÉ, *montant dans le compartiment où se trouve Dupinchel.* — Bonjour, monsieur. (*Il s'installe.*)

DUPINCHEL, *enlevant un de ses colis.* — Attendez, je vais vous faire de la place. Vous allez à Paris, sans doute?

ANDRÉ. — Oui, monsieur. Je veux devenir un grand artiste et je vais à Paris prendre des leçons de l'illustre Dupinchel.

DUPINCHEL. — Du . . . pin . . . ?

ANDRÉ. — Le grand paysagiste! Je donnerais une fortune pour une de ses leçons.

DUPINCHEL. — N'exagérez-vous pas? . . . une fortune! . . .

ANDRÉ. — Oui, monsieur. Mais je dois vous dire

que Dupinchel n'accepte comme élèves que des jeunes gens remarquablement doués, et s'il veut bien m'accepter dans son atelier, je deviendrai célèbre ; la chose est sûre. (*Dupinchel rit.*) On voit bien que vous ne connaissez pas ce sublime génie.

Dupinchel. — Non, je n'ai pas cet honneur.

André. — Alors vous n'habitez pas la capitale ?

Dupinchel. — Oh ! non, moi, je suis d'Étampes.

André. — Et à Étampes, on ne parle donc pas de Dupinchel ?

Dupinchel. — Non. D'ailleurs, je vous dirai que je ne m'occupe pas de peinture. Je suis dans la farine ; je suis meunier.

André. — Je m'en doutais.

Dupinchel. — Vous avez du flair.

André. — Oh ! nous autres artistes, nous sommes nés observateurs. Nous jugeons de la profession des gens et même de leur esprit par leur costume. Aussi, dès que j'ai aperçu votre calotte et votre gilet, j'ai pensé tout de suite que vous étiez un respectable marchand de province.

Dupinchel. — L'illustre Dupinchel, votre futur maître, est-il autrement vêtu que le reste des mortels ?

André. — J'ignore comment il s'habille, mais je me le représente avec un large chapeau mou couvrant de longs cheveux bouclés, un gilet rouge en velours, un large pantalon flottant, un veston . . . (*Dupinchel rit ; André est furieux.*)

Dupinchel. — Mais vous emportez sans doute avec vous quelques toiles pour prouver votre talent à cet illustre artiste ?

André. — Certainement. (*Ouvrant sa valise.*) Tenez, voici un paysage peint par moi. Croyez-vous qu'un meunier puisse en faire autant?

Dupinchel, *examinant la toile*. — Non, mais beaucoup de peintres feraient cent fois mieux.

André. — Hein?

Dupinchel. — D'abord, le site est mal choisi. Ensuite, votre pré est trop vert, et enfin vos vaches ressemblent à ces animaux de bazar qui ont des roulettes sous les pattes.

André, *exaspéré*. — Vos critiques ne me troublent aucunement. Qu'est-ce que vous y connaissez?... un meunier!... un bourgeois!... On dirait, à vous entendre, que vous êtes l'illustre Dupinchel.

Dupinchel. — Oh! Dupinchel! Vous exagérez sans doute son talent; un vulgaire rapin probablement.

André, *bondissant*. — Retirez le mot.

Dupinchel. — Un barbouilleur!

André. — Je vous somme de rétracter ces injures.

Dupinchel. — Je ne rétracte rien.

André. — Nous nous battrons, monsieur.

Dupinchel. — Soit!

Dupuis, *venant d'un autre compartiment, passe dans le couloir et aperçoit Dupinchel*. — Ah! quelle rencontre!... Ah! ce cher ami!... ce cher Dupinchel!... (*Ils s'embrassent.*)

André, *interdit*. — Hein? (*A Dupinchel.*) Ainsi vous êtes...

Dupinchel. — L'illustre Dupinchel en personne.

André, *très humilié*. — Pourquoi vous êtes-vous ainsi moqué de moi?

Dupinchel. — Pour vous apprendre à ne pas juger les gens par leur bonnet grec et leur gilet.

André. — Alors, monsieur, je dois renoncer . . .

Dupinchel. — Pas du tout, pas du tout. Vous entrez dans mon atelier. A Dieu ne plaise que je me prive d'un aussi ardent admirateur! (*Il lui serre la main.*)

Un employé, *ouvrant la portière.* — Paris! Tout le monde descend!

# LES MOIS ET LES SAISONS

*Saynète en un acte*

### PERSONNAGES

LA MAÎTRESSE DE FRANÇAIS.
LOUISE, *chargée du compliment de circonstance.*
SOPHIE, *emmitouflée, représente l'hiver.*
MARGUERITE, *portant des fleurs, représente le printemps.*
MATHILDE, *vêtue d'une robe blanche et s'abritant sous une ombrelle, représente l'été.*
ALICE, *portant des fruits, représente l'automne.*
DOUZE AUTRES JEUNES FILLES, *représentant les mois de l'année, portent en bandoulière une écharpe indiquant le mois qui leur est attribué.*

*La scène représente une salle d'école, le jour de la fête de la maîtresse de français. L'estrade est ornée de guirlandes et de drapeaux.*

### SCÈNE UNIQUE

LA MAÎTRESSE *entre et s'arrête toute surprise en voyant les préparatifs de fête.* — Eh bien ! mesdemoiselles, qu'est-ce qu'il y a ?

LOUISE, *s'avançant, un bouquet de fleurs à la main.* — Mademoiselle,[1] un petit oiseau bavard nous a révélé que c'est aujourd'hui votre fête, et mes camarades m'ont chargée de vous présenter nos meilleurs

---

[1] Ou *Ma sœur* ou *Madame*, selon le cas.

souhaits de bonheur et de santé, et de vous remercier de la peine que vous prenez à nous enseigner la belle langue française. (*Lui présentant le bouquet.*) Ces fleurs sont un faible témoignage de notre affection et de notre gratitude. Aujourd'hui vous n'êtes pas la maîtresse, vous êtes notre invitée, et nous avons décidé que cette heure que vous comptiez consacrer au travail, sera pour vous une heure de repos et de délassement. Nous avons préparé un petit programme dont le sujet est *Les mois et les saisons*, et ces demoiselles qui cachent une peur affreuse sous leur apparente indifférence, vous prient d'être indulgente. (*Elle invite la maîtresse à s'asseoir dans un fauteuil.*)
(*Le cortège s'avance, janvier, février*[1] *et mars en tête, et fait lentement le tour de la salle en défilant devant la maîtresse. Louise présente les groupes. Chaque jeune fille récite les vers qui sont attribués au mois qu'elle représente.*)

| | |
|---|---|
| Louise. — | Voici les douze mois : |
| | Ils marchent trois à trois. |
| Janvier. — | Avec son blanc chapeau de neige, |
| | Janvier mène le grand cortège ; |
| Février. — | Et février, sur le même rang, |
| | A honte d'être si peu grand. |
| Mars. — | A ses côtés c'est mars fantasque, |
| | Le nez mouillé par la bourrasque. |
| Louise. — | Voici les douze mois : |
| | Ils marchent trois à trois. |

---

[1] Février, étant le mois le plus court de l'année, sera représenté par la plus petite élève.

| | |
|---|---|
| Avril. — | Admirez avril qui s'avance ; |
| | Son bonnet de fleurs se balance. |
| Mai. — | Mai joyeux lui donne le bras, |
| | Vêtu de rose et de lilas ; |
| 5  Juin. — | Et juin, les tempes vermeilles, |
| | A des cerises aux oreilles. |
| | |
| Louise. — | Voici les douze mois : |
| | Ils marchent trois à trois. |
| Juillet. — | Sur le chemin sec, juillet trotte. |
| 10 | Il a du foin dans chaque botte. |
| Août. — | Août s'en va couronné de blé |
| | Et par la chaleur accablé ; |
| Septembre. — | Et septembre titube et joue |
| | Avec des grappes sur la joue. |
| | |
| 15  Louise. — | Voici les douze mois : |
| | Ils marchent trois à trois. |
| Octobre. — | Octobre porte sur sa tête |
| | La pomme à cidre et la noisette ; |
| Novembre. — | Novembre, dans ses maigres bras, |
| 20 | Tient un tas de vieux échalas ; |
| Décembre. — | Et décembre ferme la marche, |
| | Triste et froid comme un patriarche ! |
| | |
| Louise. — | Salut aux douze mois |
| | Qui marchent trois à trois ! |
| 25 | (*La maîtresse applaudit.*) |

(*Les quatre jeunes filles, représentant les saisons, ferment la marche. Arrivée devant la maîtresse, chacune récite son petit poème.*)

Louise. — L'hiver.
Sophie. —

 Plus de feuillage sur la branche,
 Plus d'herbe verte en nos vallons ;
 Sur le coteau, la neige blanche
 Et sur le fleuve, des glaçons.

 Les jours sont courts, le ciel est sombre ;
 On dirait, fuyant la clarté,
 Que la nature veut dans l'ombre
 Cacher sa triste aridité.

Louise. — Le printemps.
Marguerite. —

 La première feuille est venue ;
 La première ! La terre nue
 De fleurs va bientôt se couvrir.
 Entre le narcisse qui penche,
 La primevère et la pervenche,
 Les petits ruisseaux vont courir.

 C'est le printemps qui vient d'éclore ;
 La ruche va s'emplir encore ;
 Les blés vont couvrir les sillons.
 Au souffle d'une douce haleine,
 Toutes les roses de la plaine
 Balanceront des papillons.

Louise. — L'été.
Mathilde. —

 Quand l'été vient, le pauvre adore !
 L'été, c'est la saison de feu,

C'est l'air tiède, la fraîche aurore ;
L'été, c'est le regard de Dieu !

L'été, la nuit bleue et profonde
S'unit au jour limpide et clair ;
Le soir est d'or, la plaine est blonde ;
On entend des chansons dans l'air.

LOUISE. — L'automne.
ALICE. —
    Voici le riche automne
    Où le bon Dieu nous donne
    Tous les fruits les plus beaux.
    La grappe s'est mûrie,
    Et la pomme rougie
    Pend à mille rameaux.

    Ainsi notre bon Père
    Féconde cette terre
    Et comble tous nos vœux ;
    Mais qu'est cette richesse
    Au prix de l'allégresse
    Qu'il nous prépare aux cieux !

LOUISE. —
    Telle est des saisons
    La marche éternelle :
    Des fleurs, des moissons,
    Des fruits, des glaçons
    Le tribut fidèle
    Qui se renouvelle
    Avec nos désirs,

> En changeant nos plaines,
> Fait tantôt nos peines,
> Tantôt nos plaisirs !
> (*La maîtresse applaudit.*)

Louise *continue en s'inclinant devant la maîtresse.* — Mademoiselle, mes compagnes et moi, nous vous remercions d'avoir bien voulu prêter une oreille attentive à nos déclamations. Vous avez même daigné sourire de temps en temps et donner le signal des applaudissements. D'ailleurs, c'est vous-même que vous applaudissiez, car c'est à vos efforts que sont dus tous nos progrès. Encore une fois, merci ! (*S'adressant à ses compagnes.*) Un ban en l'honneur de mademoiselle ! (*Elles battent un ban.*)

La Maîtresse, *se levant.* — Mes chères enfants, je vous remercie des belles fleurs que vous m'avez présentées, des gentils sentiments dont Louise s'est si bien faite l'interprète, du joli cortège que vous avez organisé, et des magnifiques vers que vous avez déclamés avant tant de justesse. Je suis aussi heureuse de voir que vous partagez mon enthousiasme pour la poésie, car, voyez-vous, la poésie est la parure de la civilisation. Un monde sans poésie serait comme un jardin sans fleurs, une maison sans enfants, une cage sans oiseau, ou, comparaison que vous comprendrez mieux, un dîner sans dessert.

Je me sens bien récompensée de mes efforts, et, comme je ne puis vous embrasser toutes, Louise va de nouveau nous servir d'intermédiaire. Je l'embrasse pour vous toutes. (*Elle embrasse Louise.*)

# NICETTE

*Comédie en un acte*

### PERSONNAGES

ANATOLE, *cousin de Nicette.*
CAPDENAC, *fiancé de Nicette.*
M. BOUVARD, *tuteur de Nicette.*
NICETTE, *dix-huit ans.*

*La scène représente le petit salon de l'appartement d'Anatole. Des panoplies ornent les murs.*

### SCÈNE PREMIÈRE

ANATOLE, *seul.* — Mon médecin, le célèbre docteur Bardais, m'a annoncé hier que je n'ai plus que deux mois à vivre. Il dit que je souffre d'un cancer incurable. Qu'y faire? Je dois me résigner et regarder la destinée en face. Ma fortune, j'ai décidé de la léguer à ma petite cousine Nicette, qui, orpheline comme moi, est obligée de vivre avec son vieux butor de tuteur, M. Bouvard. La dernière fois que je l'ai vue, elle était bien triste. Ce vieux Bouvard ne s'est-il pas mis en tête de promettre sa main à un brutal, à une espèce de spadassin qu'elle déteste! Elle m'a dit qu'elle aime quelqu'un d'autre. Quel est cet heureux mortel? Je ne sais, mais Nicette, si bonne, si douce, si aimante, si jolie, mérite un mari idéal. C'est un crime de confier un tel trésor à une brute comme Capdenac. Aussi j'ai décidé d'empêcher ce mariage avant de mourir. Comme le docteur me défend de sortir, j'ai fait prier Capdenac de venir me voir. Il faut qu'il renonce à ce mariage. Sinon, je le provoquerai en duel. C'est un terrible homme; il me tuera... Ma vie pour Nicette!... Mais, au fait, je ne risque rien puisque je suis tout de même condamné par mon docteur. C'est entendu... J'attends aussi la visite de M. Bouvard et de Nicette à qui j'espère pouvoir annoncer le désistement de Capdenac. (*On frappe.*) Entrez.

## SCÈNE II

### Anatole, Capdenac

Capdenac, *entrant et frisant sa moustache en croc.* — Monsieur, j'ai reçu votre billet et me voici. Qu'y a-t-il pour votre service?

Anatole. — Monsieur, vous voulez épouser Mlle Nicette?

Capdenac. — Oui, monsieur.

Anatole. — Monsieur, vous ne l'épouserez pas.

Capdenac. — Et qui m'en empêchera, morbleu?

Anatole. — Moi! (*A part.*) De l'audace, encore de l'audace, toujours de l'audace!

Capdenac. — Ah! jeune homme, vous osez me chercher querelle! Savez-vous que je me suis battu en duel vingt fois et que j'ai eu le malheur de tuer cinq de mes adversaires et d'en blesser quinze ? Mais j'ai pitié de votre jeunesse et je réprime ma colère.

ANATOLE. — Je vois que vous êtes un adversaire digne de moi. Voyons. (*Allant à la panoplie la plus proche.*) Prenons-nous ces deux épées, ces deux sabres ou ces deux haches ? Quelle arme préférez-vous ?

CAPDENAC. — Je pense à votre mère et à sa douleur.

ANATOLE. — Je n'en ai plus. Préférez-vous la carabine ou le pistolet ? (*Il arme un pistolet qu'il braque sur Capdenac.*)

CAPDENAC. — Eh ! jeune homme, ne jouez pas avec les armes à feu.

ANATOLE. — Est-ce que vous avez peur ?

CAPDENAC. — Moi ?

ANATOLE. — Mais vous tremblez !

CAPDENAC. — Trembler ! moi ! c'est de froid.

ANATOLE. — Alors, battez-vous ou renoncez à la main de Mlle Nicette.

CAPDENAC. — J'admire votre bravoure. Les braves sont faits pour s'entendre. Voulez-vous que je vous avoue une chose ?

ANATOLE. — Parlez.

CAPDENAC. — Depuis quelque temps, je pensais moi-même à rompre ce mariage. Je consentirais donc volontiers à ce que vous désirez, mais vous comprenez que je ne puis avoir l'air, moi Capdenac, de céder à des menaces, car vous m'avez fait des menaces.

ANATOLE. — Je les retire.

CAPDENAC. — Alors c'est entendu.

Anatole, *continuant à manier le pistolet.* — Voulez-vous écrire et signer votre désistement?

Capdenac. — J'ai tant de sympathie pour vous que je ne puis rien vous refuser. (*Il écrit et sort.*) J'ai bien l'honneur . . .

Anatole, *s'inclinant.* — Monsieur . . .

## SCÈNE III

Anatole, *puis* M. Bouvard *et* Nicette

Anatole, *seul.* — Mais ce spadassin est un agneau. Ça a marché tout seul. Maintenant il faut convaincre ce vieil obstiné, M. Bouvard, et Nicette sera sauvée. Elle pourra épouser celui qu'elle aime, et moi je pourrai mourir en paix. (*On frappe.*) Les voici sans doute. Entrez. (*M. Bouvard et Nicette entrent.*) Bonjour, M. Bouvard; bonjour, cousine Nicette. (*Il leur serre la main.*) Asseyez-vous.

M. Bouvard. — Vous nous avez priés de passer chez vous. Cela doit être important pour nous déranger de la sorte.

Anatole. — En effet, très important, M. Bouvard. Il faut que vous renonciez à marier ma cousine Nicette à M. Capdenac.

M. Bouvard. — Jamais, monsieur. De quoi vous mêlez-vous?

Anatole. — Nicette n'aime pas M. Capdenac n'est-ce pas, cousine Nicette?

Nicette. — Je le déteste.

Anatole. — Vous l'entendez. Vous devez donc renoncer à ce projet.

M. Bouvard. — Ma résolution est bien arrêtée. Ce mariage se fera.

Anatole. — Il ne se fera pas.

M. Bouvard. — C'est ce que nous verrons. J'ai donné ma parole à M. Capdenac. C'est un terrible homme; si je lui faisais un pareil affront, il me tuerait.

Anatole. — C'est cette raison qui vous arrête?

M. Bouvard. — Elle en arrêterait bien d'autres.

Anatole. — Alors, vous me promettez que si j'obtiens le désistement de M. Capdenac, ma cousine sera libre.

M. Bouvard. — Oui, elle sera libre.

Anatole, *à M. Bouvard*. — Lisez. (*Il lui donne le papier signé par Capdenac. A Nicette.*) Ma chère petite cousine, ce matin j'ai obtenu deux choses: M. Capdenac renonce à votre main, et votre excellent tuteur consent à ce que vous épousiez celui que vous aimez.

Nicette, *à M. Bouvard*. — Vraiment, mon cher tuteur, vous voulez bien que j'épouse Anatole?

Anatole, *stupéfait*. — Hein?

Nicette. — Puisque c'est vous que j'aime, mon cousin.

Anatole. — Ah! malheureux que je suis! Vous m'aimez, Nicette! Je touche au bonheur et je vais mourir sans l'atteindre!

Nicette. — Mourir! Êtes-vous fou, mon cousin? Qui parle de mourir?

Anatole. — Mon médecin, le docteur Bardais, m'a annoncé hier que je n'avais plus que deux mois à vivre. Il dit que je souffre d'un cancer . . .

Nicette. — Mais ce n'est pas possible ! (*Elle commence à pleurer.*)

M. Bouvard, *éclatant de rire.* — Bardais ! Bardais ! (*Tirant un journal de sa poche.*) Écoutez ce que dit mon journal de ce matin : « Le savant docteur Bardais vient d'être subitement atteint d'aliénation mentale. Sa folie a un caractère scientifique. Il croit que toutes les personnes qu'il rencontre souffrent d'un cancer incurable, et il le leur persuade. On l'a transporté ce matin à un asile d'aliénés.»

Anatole. — Nicette !

Nicette. — Anatole ! (*Ils tombent dans les bras l'un de l'autre.*)

# LE MÉDECIN MYSTIFIÉ

*Comédie en deux actes*

PERSONNAGES

Le Médecin.
La Dame.
La Vieille Pauvresse.

## ACTE PREMIER

*La scène, divisée en deux parties, représente l'antichambre et le cabinet d'un oculiste.*

### SCÈNE I

La Dame, *seule dans l'antichambre.* — Depuis quelque temps, j'ai mal aux yeux; ma vue s'affaiblit beaucoup; mon regard devient de plus en plus trouble au point que je ne peux plus broder. Je ne peux même plus lire. J'ai peur de devenir aveugle. On m'a dit que cet oculiste est le plus habile de Paris, et je viens le consulter. J'espère qu'il me guérira rapidement.

### SCÈNE II

Le Médecin, La Dame

Le Médecin, *ouvrant la porte de l'antichambre.* — Veuillez entrer, madame, et prendre la peine de vous asseoir.

## Le Médecin Mystifié

La Dame, *entrant dans le cabinet et s'asseyant.* — Monsieur, depuis quelque temps, je souffre beaucoup des yeux et j'ai peur de perdre la vue.

Le Médecin, *prenant un instrument et examinant minutieusement les yeux de la dame.* — Hum ! hum ! c'est grave, madame, très grave.

La Dame. — Ah ! mon Dieu !

Le Médecin. — Oh ! n'ayez pas peur, je puis vous guérir . . . Seulement, le traitement sera long, très long.

La Dame. — Mais qu'ai-je donc, monsieur ?

Le Médecin. — Madame, je regrette de devoir vous le dire, mais vous êtes menacée d'une amaurose.

La Dame, *presque évanouie.* — D'une a . . . mau . . . rose ! . . . Ah ! mon Dieu ! qu'est-ce que c'est que cela ?

Le Médecin. — L'amaurose, madame, est la paralysie de la rétine et du nerf optique. (*Pendant qu'il parle avec emphase, la dame ponctue chacune de ses phrases par des exclamations telles que* Ah ! mon Dieu ! . . . Ciel ! . . . Je suis perdue ! . . . Ayez pitié de moi ! . . .) Elle est complète ou incomplète, . . . continue ou périodique . . . Les causes sont directes ou indirectes . . . et son traitement est général ou local . . . Le pronostic est plus ou moins grave . . . selon la nature, les causes, le degré et la durée de l'affection . . . Elle est idiopathique . . . symptomatique . . . ou sympathique . . . Il y en a de trois espèces : mécanique . . . adynamique . . . ou . . .

La Dame, *tremblante.* — Ah ! mon Dieu ! mais je

suis perdue! Je ne guérirai jamais d'une pareille maladie! Ayez pitié de moi! Que dois-je faire?

Le Médecin. — Avoir confiance en moi et vous abandonner entièrement à mes soins . . . Madame habite Paris, sans doute?

La Dame. — Hélas! non, monsieur, j'habite Tours et je suis venue tout exprès à Paris pour vous consulter.

Le Médecin. — Je regrette de vous effrayer, madame, mais je dois vous dire la vérité. L'affection qui menace votre vue doit être traitée énergiquement et tout de suite. Sinon, vous serez atteinte de cécité avant peu. Il faut que je vous voie souvent, très souvent, presque tous les jours.

La Dame. — Alors il faut que je prenne un appartement à Paris?

Le Médecin. — Je vous le conseille, madame. Un repos absolu et des soins constants pourront seuls vous guérir . . . Sinon, je ne réponds de rien. A demain, madame. (*Elle sort.*)

## ACTE DEUXIÈME

(*Même décor*)

### SCÈNE I

La Dame, La Pauvresse

(*Elles sont assises dans l'antichambre de l'oculiste, attendant l'heure de la consultation.*)

La Dame, *à la pauvresse.* — Vous souffrez aussi des yeux, ma bonne femme?

La Pauvresse. — Oui, madame, je n'y vois presque plus, et une dame charitable m'a donné une lettre, me recommandant aux bons soins de monsieur l'oculiste.

La Dame. — Ah! c'est un terrible mal. J'en sais quelque chose. Voilà six mois que je suis enfermée dans une chambre obscure, que je porte des lunettes bleues, que j'applique compresses sur compresses sur mes pauvres yeux, et malgré tous les soins et les visites du docteur, malgré toutes ces précautions, il n'y a pas la moindre amélioration. C'est décourageant. C'est pourquoi je viens aujourd'hui chez lui pour lui exprimer mon mécontentement.

La Pauvresse. — Cependant, tout le monde dit que monsieur l'oculiste est le meilleur de Paris. Il ne soigne que les gens très riches, et ce n'est que par faveur spéciale qu'il daigne donner ses soins aux pauvres. Il est probable, madame, que si vous étiez une pauvresse comme moi, votre guérison serait plus rapide.

La Dame. — Ah! mon Dieu! quelle idée! Vous avez peut-être bien raison. (*A part.*) Si j'osais!... Pourquoi pas? (*A la pauvresse.*) Vite, prêtez-moi votre bonnet, votre châle, votre cabas, votre parapluie et votre lettre de recommandation, et allez m'attendre dehors. (*Ouvrant sa bourse.*) Tenez, voici un billet de banque pour votre peine. (*Elle prend le vieux châle et le bonnet noir de la vieille et se déguise en pauvresse.*)

## SCÈNE II

### Le Médecin, La Fausse Pauvresse

Le Médecin, *ouvrant la porte de l'antichambre, à la fausse pauvresse.* — Qui vous a permis d'entrer ici? Allez-vous-en. Je ne fais pas la charité.

La fausse Pauvresse, *tendant la lettre, et d'une voix chevrotante.* — Pardon, monsieur le docteur, une dame de vos clientes a eu la bonté de me donner cette lettre pour vous.

Le Médecin, *lisant.* — C'est bien; entrez, la vieille.

La fausse Pauvresse, *toute courbée, s'avance avec difficulté en s'appuyant sur le parapluie.* — Bonjour, monsieur l'oculiste. (*Elle fait plusieurs révérences.*) Vous êtes bien aimable. Que Dieu vous bénisse et vous ait en sa sainte garde!

Le Médecin, *brusquement.* — Voyons, qu'avez-vous?

La fausse Pauvresse. — Mal aux yeux, mon bon monsieur.

Le Médecin, *examinant superficiellement les yeux de la vieille.* — Voyons cela.

La fausse Pauvresse. — Est-ce que c'est grave, monsieur l'oculiste?

Le Médecin, *haussant les épaules.* — Vous n'avez rien du tout.

La fausse Pauvresse. — Comment! rien!

Le Médecin. — Non, rien, absolument rien.

La fausse Pauvresse. — Mais, monsieur le docteur, avez-vous bien regardé? En êtes-vous sûr?

Le Médecin. — Je sais bien ce que je dis, parbleu!

La fausse Pauvresse. — Mais, monsieur, on m'avait parlé d'une... Comment appelez-vous ça?... une grave affection... une a..., une amau...

Le Médecin. — Amaurose?

La fausse Pauvresse. — C'est ça, monsieur le docteur.

Le Médecin, *riant aux éclats*. — Laissez-moi donc tranquille! Quelqu'un s'est moqué de vous. Vos yeux sont faibles, c'est tout... Il faut les fortifier. Lavez-les chaque soir avec de l'eau chaude salée ou de l'eau boriquée; ce n'est pas difficile.

La fausse Pauvresse. — Ce n'est pourtant pas ce que mon médecin dit.

Le Médecin. — Eh bien, votre médecin est un charlatan, un âne; dites-le-lui de ma part.

La fausse Pauvresse, *se redressant, jetant son châle et son vieux bonnet noir, et reprenant son air de dame et sa voix naturelle*. — Mais, c'est vous, monsieur!

# L'AVOCAT PATELIN

*Comédie en un acte*

PERSONNAGES

PATELIN, *avocat.*
AGNELET, *berger de Guillaume.*
GUILLAUME, *fermier.*
BARTHOLIN, *juge du village.*

*Le théâtre représente une salle de justice de paix.*

## SCÈNE I

AGNELET, PATELIN

AGNELET. — Je viens vous prier de plaider pour moi contre mon maître, monsieur Guillaume, et je vous payerai bien.

PATELIN. — Je le prétends bien ainsi. Ah çà, raconte-moi ton affaire, sans rien me cacher.

AGNELET. — Vous saurez donc que mon maître me paye très petitement, et pour me dédommager, je fais quelques petites affaires avec un boucher.

PATELIN. — Quelles affaires fais-tu?

AGNELET. — J'empêche les moutons de mourir de la clavelée.

PATELIN. — Il n'y a point là de mal; et que fais-tu pour cela?

# L'Avocat Patelin

AGNELET. — Je les tue quand ils ont envie de mourir.

PATELIN. — Le remède est sûr. Mais est-ce que tu ne les tues pas exprès pour faire croire à ton maître qu'ils sont morts de la clavelée et qu'il faut s'en débarrasser, afin de les vendre et de garder l'argent pour toi?

AGNELET. — C'est ce que dit mon maître, parce que l'autre nuit . . . quand j'eus enfermé le troupeau . . . il vit que je prenais un . . . un . . . dirai-je tout?

PATELIN. — Oui, si tu veux que je plaide pour toi.

AGNELET. — L'autre nuit donc, il vit que je prenais . . . que je prenais un mouton qui se portait bien; ma foi, sans y penser, ne sachant que faire . . . je lui mis tout doucement mon couteau auprès de la gorge . . . (*vite*) si bien que je ne sais comment cela se fit, mais il mourut immédiatement.

PATELIN. — Je comprends. Quelqu'un te vit-il faire?

AGNELET. — Mon maître était caché dans la bergerie; il me dit que j'en avais fait autant des cent vingt moutons qui lui manquaient . . . Or, vous saurez que cet homme dit toujours la vérité . . . Il me battit (*Il lui montre sa tête enveloppée d'un linge.*) comme vous voyez, et je vais me faire trépaner. Or, je vous prie, car vous êtes avocat, de faire en sorte qu'il ait tort et que j'aie raison, afin que cela ne me coûte rien.

PATELIN. — Je comprends ton affaire. Il y a deux voies à prendre: par la première, il ne t'en coûtera pas un sou.

AGNELET. — Prenons celle-là, je vous prie.

Patelin. — Ton maître sera contraint de payer tous les dépens.

Agnelet. — Tant mieux.

Patelin. — Seulement il pourra te faire pendre.

Agnelet. — Prenons l'autre voie, s'il vous plaît.

Patelin. — La voici.  On va te faire venir devant le juge.

Agnelet. — Oui, tout à l'heure.

Patelin. — Souviens-toi bien de ceci.

Agnelet. — J'ai bonne mémoire.

Patelin. — A toutes les questions qu'on te fera, soit le juge, soit ton maître ou son avocat, soit moi-même, ne réponds autre chose que ce que tu entends dire tous les jours à tes bêtes à laine.  Tu sauras bien parler leur langage et faire le mouton?

Agnelet. — Cela n'est pas bien difficile.

Patelin. — Les coups que tu as reçus à la tête me font penser à un stratagème qui pourra te sauver, mais je prétends ensuite être bien payé.

Agnelet. — Vous le serez.

Patelin. — Monsieur Bartholin, le juge, va venir donner audience.  N'oublie pas mes conseils.

Agnelet. — Je ferai ce que vous m'avez dit.

## SCÈNE II

Patelin, Bartholin, Guillaume, Agnelet

Bartholin, *s'étant assis dans un fauteuil.* — Les parties peuvent comparaître.

Patelin, *bas à Agnelet.* — Quand on t'interrogera, ne réponds que de la manière que je t'ai dit.

# L'Avocat Patelin

Bartholin, *à Patelin*. — Quel homme est-ce là ?

Patelin. — Un berger qui a été battu par son maître et qui, en sortant d'ici, va se faire trépaner.

Bartholin. — Où est la partie adverse, ou son avocat ?

Guillaume. — Je viens plaider moi-même mon affaire.

Bartholin. — Monsieur Guillaume, vous êtes le demandeur ; parlez.

Guillaume. — Vous saurez donc, monsieur le juge, que ce maraud-là . . .

Bartholin. — Point d'insultes.

Guillaume. — Eh bien, ce voleur-là . . .

Bartholin. — Appelez-le par son nom ou celui de sa profession.

Guillaume. — Eh bien, ce scélérat de berger m'a volé cent vingt moutons.

Patelin. — Cela n'est point prouvé.

Bartholin, *à Guillaume*. — Quelle preuve avez-vous de ce vol ?

Guillaume. — Quelle preuve ! Je lui ai donné à garder six cents moutons et je n'en trouve plus que quatre cent quatre-vingts dans mon troupeau.

Patelin. — Je nie le fait.

Guillaume. — Que sont devenus les cent vingt moutons qui manquent à mon troupeau ?

Patelin. — Ils sont morts de la clavelée.

Bartholin, *à Guillaume*.—Que répondez-vous à cela ?

Guillaume. — Je réponds, sauf votre respect, que c'est faux, qu'il les a tués pour les vendre et que je l'ai trouvé sur le fait, tuant un mouton la nuit.

PATELIN. — Pure invention pour s'excuser des coups qu'il a donnés à ce pauvre berger qui, en sortant d'ici, comme je vous l'ai dit, va se faire trépaner.

GUILLAUME. — Parbleu, monsieur le juge, il n'y a rien de plus véritable. (*Patelin rit.*) Je m'étais caché dans la bergerie; je vis venir ce drôle; il tira de sa poche un couteau . . . et . . . il . . . il . . . il . . .

PATELIN. — Vous voyez, il ne sait ce qu'il dit.

BARTHOLIN. — Je vais interroger ce berger moi-même. (*A Agnelet.*) Approche-toi. Comment t'appelles-tu?

AGNELET. — Bé . . . é . . . é . . . é.

GUILLAUME. — Il ment, il s'appelle Agnelet.

BARTHOLIN, *à Guillaume*. — Agnelet ou Béé, n'importe. (*A Agnelet.*) Dis-moi, est-il vrai que monsieur t'avait donné à garder six cents moutons?

AGNELET. — Bé . . . é . . . é . . . é.

BARTHOLIN. — La crainte de la justice te trouble peut-être; écoute; ne t'effraye point. Monsieur Guillaume t'a-t-il trouvé la nuit tuant un mouton?

AGNELET. — Bé . . .

BARTHOLIN. — Oh! oh! que veut dire ceci?

PATELIN, *à Bartholin*. — Les coups qu'il lui a donnés sur la tête lui ont troublé la cervelle.

BARTHOLIN. — Vous avez eu grand tort, monsieur Guillaume.

GUILLAUME. — Moi tort? Il me vole mes moutons et me paye de bé . . . é . . . é; et encore, morbleu! j'aurai tort?

BARTHOLIN. — Oui, tort; il ne faut jamais frapper, surtout à la tête.

Guillaume. — Oh ! morbleu ! il était nuit ; et, quand je frappe, je frappe partout.

Patelin. — Il avoue le fait, monsieur le juge ; *habemus confitentem reum*.

Bartholin, *se levant*. — Hors de cour et de procès, sans dépens.

Guillaume, *à Bartholin*. — J'en appelle. (*Il s'en va.*)


## SCÈNE III

Patelin, Bartholin, Agnelet

Patelin, *à Agnelet*. — Remercie monsieur le juge.
Agnelet, *à Bartholin*. — Bééé . . . bééé . . . é.
Bartholin. — En voilà assez ; va vite te faire trépaner, pauvre malheureux. (*Il s'en va.*)


## SCÈNE IV

Patelin, Agnelet

Patelin. — Ah çà, par mon adresse, je t'ai tiré d'une affaire qui pouvait te faire pendre ; c'est à toi maintenant à me bien payer comme tu me l'as promis.

Agnelet. — Bé . . . é . . . é.

Patelin. — Oui, tu as fort bien joué ton rôle ; mais à présent il me faut de l'argent, entends-tu ?

Agnelet. — Bé . . . é . . . é.

Patelin. — Eh ! laisse là ton béé ; il n'est pas

question de cela; il n'y a ici que toi et moi. Veux-tu tenir ta promesse et me bien payer?

AGNELET. — Bé . . . é . . . é.

PATELIN. — Comment! coquin, je serais la dupe d'un mouton vêtu! (*Il court après Agnelet qui se sauve.*) Morbleu! tu me payeras, ou . . .

# DANS UN ASCENSEUR

*Comédie en un acte*

PERSONNAGES

ADRIENNE, *jeune veuve*.
ROBERT.

*Le théâtre représente un petit salon où plusieurs sièges, disposés en carré, figurent les banquettes de l'ascenseur.*

## SCÈNE UNIQUE

ROBERT, ADRIENNE

*Au lever du rideau, Adrienne et Robert sont assis dans l'ascenseur. Adrienne paraît très agitée. Robert s'efforce de la calmer.*

ROBERT. — Mais enfin, madame . . .

ADRIENNE. — Enfin . . . quoi ? . . . Monsieur, je vous le dis, je vous le répète . . . je veux m'en aller . . . J'en ai assez. (*Regardant à sa montre.*) Voilà une demi-heure que nous sommes emprisonnés dans cette cage.

ROBERT. — Oh ! . . . une demi-heure. (*Regardant à sa montre.*) C'est, ma foi, vrai . . . Eh bien, franchement, madame, (*Galamment.*) je ne l'aurais pas cru . . .

ADRIENNE. — Je vous dis que . . . coûte que coûte . . . je veux sortir d'ici . . .

ROBERT. — Coûte que coûte ! . . . Je vous ferai observer, madame, que je n'y mets aucun obstacle . . . bien que je trouve que notre situation n'est pas dépourvue d'agrément.

ADRIENNE. — Plaît-il?

ROBERT. — Pour moi, madame, pour moi . . . Pas pour vous, peut-être. Mon Dieu . . . oui, nous sommes enfermés . . . emprisonnés dans un ascenseur, arrêté entre le deuxième et le troisième étage. La situation, vous le voyez, est émouvante, palpitante même ! . . . Des murs de tous les côtés . . . Le ciel en haut . . . Au dessous, (*Tragiquement.*) l'abîme ! . . . (*A Adrienne.*) Vous frissonnez, madame? . . . Pardon . . . Je n'ai pas dit cela dans l'intention de vous effrayer.

ADRIENNE. — Je ne vous cache pas que je commence à être inquiète. Et vous, monsieur?

ROBERT. — Croyez-vous, madame, que je craigne la mort? . . . (*Avec élan.*) Mourir avec vous ! . . .

ADRIENNE. — Mais je ne veux pas mourir, monsieur.

ROBERT. — Croyez bien, madame, que je préférerais beaucoup . . . vivre avec vous . . .

ADRIENNE, *feignant d'être alarmée.* — Oh ! avez-vous senti? . . .

ROBERT. — Quoi, madame?

ADRIENNE. — Cette secousse? . . .

ROBERT. — Non, madame . . . C'est étonnant, cet ascenseur qui s'arrête . . . providentiellement . . . (*Mouvement d'Adrienne.*) Une autre secousse, ma-

## Dans un Ascenseur

dame?... Je dis donc... C'est étonnant... Car enfin... Récapitulons, madame...

ADRIENNE. — Récapitulez, monsieur... Cela nous fera passer le temps... Et puis cela me distraira peut-être...

ROBERT. — Donc... il y a dix-huit mois.

ADRIENNE, *riant*. — Oh!... comme vous remontez loin! Pourquoi ne remontez-vous pas au déluge?

ROBERT, *soupirant*. — Ah! vous vous moquez de moi... Eh bien, oui... cela date de loin... et cependant il me semble que c'est hier que je vous vis pour la première fois... Je venais de louer un appartement dans cette maison... au quatrième ... en face du vôtre... Votre veuvage était récent... et... le noir vous allait si bien.

ADRIENNE. — Monsieur!...

ROBERT. — Pardon, madame... Je continue... Votre mari était vieux... impotent... malade. Vous l'avez soigné avec un zèle..., un dévouement!...

ADRIENNE. — Monsieur!...

ROBERT. — Pardon, madame... Je continue... Vous avez été simplement sublime... J'ai appris tout cela plus tard... mais je n'avais pas eu besoin de le savoir pour vous trouver... charmante... adorable!...

ADRIENNE. — Monsieur!...

ROBERT. — Pardon, madame... Je continue...

ADRIENNE. — Du tout, ne continuez pas, je vous en prie... Vous abusez de la situation, monsieur... C'est là ce que vous appelez... récapituler?

ROBERT. — Mais oui, madame. Et pour me résumer . . . je vous dirai que depuis cette époque . . . je ne vis que pour vous . . . Je vous aime avec ivresse, et si, jusqu'aujourd'hui, il m'a été impossible de vous le dire . . .

ADRIENNE. — Vous prenez votre revanche . . . Vous profitez de ce que toute issue m'est fermée. Le moment est mal choisi pour m'obliger à vous entendre et à m'imposer un réquisitoire . . .

ROBERT. — Oh ! un réquisitoire ! . . . Est-ce ainsi que vous qualifiez l'expression de l'amour le plus ardent . . . le plus dévoué . . . (*Geste d'Adrienne.*) Mais . . . on dirait que vous, qui êtes si bonne pour tout le monde, vous voulez être cruelle avec moi . . . Tout récemment encore . . . cette plante . . . que vous m'avez renvoyée . . .

ADRIENNE. — Pourquoi me l'aviez-vous envoyée ?

ROBERT. — Parce que vous l'aviez désirée, parbleu ! . . .

ADRIENNE. — Moi ! . . .

ROBERT. — Je vous entendis un jour sur le boulevard dire à une de vos amies avec laquelle vous vous promeniez : « Oh ! la jolie fleur ! »

ADRIENNE. — Vous étiez donc là ?

ROBERT, *embarrassé*. — Oh ! . . . par hasard . . .

ADRIENNE. — Hum . . . par hasard . . .

ROBERT. — Je vous assure . . . A peine donc êtes-vous partie . . . je me précipite chez le fleuriste, et j'envoie la fleur immédiatement chez vous . . . Vous l'avez trouvée à votre retour . . . et vous avez eu la cruauté de me la renvoyer . . . C'est mal . . . On peut accepter des fleurs.

Adrienne. — C'est tout naturel . . . Mais à quel titre voulez-vous que je reçoive vos cadeaux ?

Robert. — A titre de candidat à votre main . . . Vous ne pouvez rester veuve.

Adrienne. — Pourquoi cela ?

Robert. — Parce que . . . parce que . . . (*Avec feu.*) je vous aime, madame, . . . et que, si vous ne voulez pas de moi pour mari, . . . j'en mourrai, voyez-vous . . .

Adrienne, *riant*. — Oh ! oh ! calmez-vous . . . vous devenez fou.

Robert. — Oui, j'en mourrai . . . comme est morte cette pauvre fleur que vous m'avez cruellement renvoyée . . . (*Avec feu.*) *La purpurea campanella*, madame ! . . . une fleur de l'Inde . . . la perle de nos serres.

Adrienne, *effrayée*. — Ah ! . . . monsieur ! . . .

Robert. — Quoi, madame ? . . .

Adrienne. — Vous n'avez pas entendu ? . . .

Robert. — Quoi donc ?

Adrienne. — Un craquement, monsieur ?

Robert. — Où ça ?

Adrienne. — Là . . . en dessous . . .

Robert. — Je n'ai rien entendu . . .

Adrienne. — Ça n'est pas possible . . . Oh ! monsieur, ne me quittez pas ! . . .

Robert, *souriant*. — Je suis loin d'y penser . . . mais il faut bien convenir que . . . même si j'en avais l'intention . . .

Adrienne. — Avez-vous bien le courage de plaisanter ?

ROBERT. — Je ne plaisante pas . . . Mais vous vous effrayez à tort, je vous assure. On se sera aperçu en bas de l'immobilité de l'ascenseur et on aura envoyé chercher des ouvriers. On doit en ce moment essayer de nous délivrer et ce sont probablement ces tentatives qui ont causé le . . . craquement que vous avez entendu.

ADRIENNE. — Je l'espère . . . (*Avec épouvante et lui prenant le bras.*) Là ! . . . avez-vous senti cette secousse ? . . . Oh ! . . . c'est fini . . . nous sommes perdus ! . . . nous allons être précipités ! . . . brisés ! . . .

(*On entend un grand bruit et un fort craquement . . . Adrienne pousse un cri et tombe évanouie sur son siège.*)

ROBERT. — Eh bien ! . . . Sapristi ! . . . Qu'est-ce qu'ils font là-dessous ? . . . (*A Adrienne.*) Ne vous effrayez pas, madame . . . Mais ! . . . Oh ! pauvre petite femme ! . . . Elle s'est évanouie. (*Lui prenant la main.*) Que faire ? . . . (*Il lui frappe dans la main.*) Ah ! mais, que faire ? Pas même moyen de lui donner de l'air . . . (*Se fouillant.*) Si j'avais un flacon . . . des sels . . . mais rien ! . . . Ah ! Elle peut-être ! . . . Les femmes ont toujours un arsenal . . . mais où ? . . . Ah ! dans son manchon . . . (*Il prend le manchon . . . il en tombe un livre . . . il fouille dans le manchon. — Parlé.*) Rien . . . que ce livre. (*Il le ramasse.*) Un roman. (*Il l'ouvre.*) Tiens, une fleur entre les pages . . . Que vois-je ? . . . *la purpurea campanella !* Elle en avait gardé une fleur . . . Ah ! mais . . . (*Joyeux.*) Ah ! mais alors . . . chère Adrienne ! . . . (*Il la regarde.*)

Comme elle est jolie ! . . . Mais elle est toujours évanouie . . . que faire ! . . . Ah ! . . . elle ouvre les yeux . . .

Adrienne. — Où suis-je ? . . . Ah ! c'est vous, monsieur. (*Avec effroi.*) Nous sommes toujours dans cette affreuse prison ?

Robert. — Nous allons en sortir . . . Calmez-vous, madame . . . On travaille à notre délivrance. Écoutez . . . Entendez-vous les ouvriers causer en bas ?

Adrienne. — Je suis si troublée . . . Je n'entends rien . . . (*Voyant son livre dans les mains de Robert.*) Mais . . . mais . . . que tenez-vous à la main ? . . . C'est mon roman . . . Où l'avez-vous pris ?

Robert. — Je ne l'ai pas pris, madame . . . Vous voyant évanouie . . . je cherchais un flacon dans votre manchon . . . ce livre en est tombé . . . et . . . en tombant il s'est ouvert à cette place. (*Il lui montre la fleur.*)

Adrienne, *confuse.* — Oh ! monsieur . . . C'est de la trahison . . . Rendez-moi ce livre . . .

Robert. — Tout de suite, madame . . . Mais . . . avant . . . permettez . . . (*Il embrasse la fleur.*) Chère petite fleur !

Adrienne. — Que faites-vous ?

Robert. — Je lui confie un message.

Adrienne. — Mais, monsieur . . .

Robert, *s'avançant vers elle.* — Si vous ne voulez pas d'intermédiaire ! . . .

Adrienne, *se recule en souriant.* — Mais si . . . mais si . . .

ROBERT, *se mettant à genoux.* — Chère Adrienne . . . c'est donc vrai . . . vous ne serez plus cruelle avec moi . . .

ADRIENNE, *poussant un cri de joie.* — Ah! monsieur . . .

ROBERT. — Quoi donc?

ADRIENNE. — Nous montons! . . .

ROBERT, *se relevant.* — Comment! . . . c'est, ma foi, vrai, nous montons . . . (*A part.*) Puissions-nous ne jamais arriver! . . .

ADRIENNE. — Voici le troisième! . . .

ROBERT, *à part.* — Maudit ascenseur! . . . Il aurait bien pu attendre encore un peu . . . (*A Adrienne.*) Ne me direz-vous rien, chère Adrienne, avant de me quitter?

ADRIENNE. — Et voici le quatrième! . . . (*Ouvrant la porte de l'ascenseur.*) Voici notre palier. Adieu, monsieur, je me sauve . . . (*Elle disparaît par la porte de droite.*)

ROBERT, *interdit.* — Eh bien! (*Criant à travers la porte.*) Madame! . . . Madame! . . . Adrienne! . . .

ADRIENNE, *de l'intérieur.* — Quoi, monsieur? . . .

ROBERT. — Et . . . et votre livre?

ADRIENNE, *de l'intérieur.* — Vous me le rapporterez demain.

ROBERT, *avec joie.* — Demain! . . . demain! . . . Ce n'est pas un rêve . . . (*A l'ascenseur.*) Grâces te soient rendues, cher ascenseur! . . . Ta cage a été le premier nid de nos amours. (*Il disparaît par la porte de gauche.*)

# L'INITIATION

*Fantaisie en un acte*

PERSONNAGES

*Les membres du cercle français.*
M. Louis, *candidat.*

Le théâtre représente la salle du cercle français.

## SCÈNE UNIQUE

Le Président. — Messieurs, la séance est ouverte. Monsieur le secrétaire va faire l'appel nominal, et chaque membre est prié de se lever à l'appel de son nom et de répondre par une citation française.

Le Secrétaire. — M. Andrin?

M. Andrin, *se levant.* — «Qui vive? France quand même!»

Le Secrétaire. — M. Benoît?

M. Benoît. — «Tout homme a deux patries, la sienne et la France.»

Le Secrétaire. — M. Claude?

M. Claude. — «Ils ne passeront pas.»

Le Secrétaire. — M. Dubois?

M. Dubois. — «On les aura.»

Le Secrétaire. — M. Évrard?

M. Évrard. — «Lafayette, nous voici!»

Le Secrétaire. — M. Fontaine?

M. Fontaine. — «Jusqu'au bout!» (*L'appel continue.*)

Le Président. — Monsieur le secrétaire voudra bien maintenant nous donner lecture du procès-verbal de la dernière séance.

M. Andrin, *se levant*. — Monsieur le président, je propose que nous remettions cette lecture à la prochaine séance.

Le Président. — Est-ce que quelqu'un appuie cette proposition?

M. Évrard. — Moi, monsieur le président.

Le Président. — Quelqu'un demande-t-il la parole? Non? Alors nous allons mettre aux voix la proposition de M. Andrin. Que ceux qui approuvent cette motion lèvent la main droite. (*Tout le mond le fait.*) Il n'y a pas d'opposition. La proposition de M. Andrin est adoptée à l'unanimité. Nous passons maintenant à l'ordre du jour. La séance d'aujourd'hui sera consacrée à l'initiation de M. Louis, qui désire faire partie de notre cercle. Ses deux parrains sont MM. Dubois et Fontaine. Le vice-président et le secrétaire ont bien voulu préparer un petit programme que le candidat doit exécuter. Les parrains sont priés de nous présenter leur protégé. (*Ils vont chercher M. Louis qui les attend dans l'antichambre.*)

M. Louis, *les yeux bandés et portant un costume extravagant, entre, guidé par ses deux parrains*. — Bonjour, monsieur le président; bonjour, messieurs les membres du cercle français. (*Il trébuche contre une caisse placée à dessein sur son passage et tombe de tout son long.)*

Le Président, *se levant et s'inclinant.* — Tiens, il doit être musulman; il nous salue à la turque. Soyez le bienvenu parmi nous, monsieur le pacha. (*M. Louis se relève et avance à cloche-pied, tout en se frottant un genou comme s'il avait mal.*)

Le Vice-Président. — Avant d'élire un nouveau membre, il faut nous assurer qu'il est digne de faire partie de notre cercle à tous les points de vue. Nous devons donc le soumettre à quelques petites épreuves qui lui permettront de nous prouver qu'il est capable non seulement de prendre une part active dans nos délibérations, mais aussi de contribuer à l'amusement commun. Le candidat est donc prié de nous dire d'abord pourquoi il veut devenir un des nôtres.

M. Louis, *hésitant.* — Monsieur le président, monsieur le vice-président, monsieur le secrétaire, monsieur le trésorier (*Il salue à tort et à travers.*), messieurs les membres du cercle français, . . . je . . . serais . . . très honoré . . . si vous vouliez bien . . . être assez aimables . . . d'avoir la bonté . . . de daigner . . . avoir l'obligeance . . . de condescendre . . . à m'honorer . . . en me faisant l'honneur . . . de me recevoir . . . dans votre honorable société . . . (*Il s'essuie le front.*)

Le Vice-Président. — Pour devenir membre du cercle, il faut non seulement pouvoir improviser, (*Il sourit.*) mais savoir bien déclamer. Le candidat est requis de nous déclamer quelque chose.

M. Louis, *très agité.* — Mais je ne sais rien.

Le Vice-Président, *souriant*. — Improvisez quelque chose.

M. Louis. —

### Le Hareng Saur

Il était un grand mur blanc nu, nu, nu ;
5 Contre le mur une échelle haute, haute, haute,
Et par terre un hareng saur sec, sec, sec.

Il vient, tenant dans ses mains sales, sales, sales,
Un marteau lourd, un clou pointu, pointu, pointu,
Un peloton de ficelle gros, gros, gros.

10 Alors il monte à l'échelle haute, haute, haute,
Et plante le clou pointu, pointu, pointu,
Tout en haut du grand mur nu, nu, nu.

Il laisse aller le marteau qui tombe, qui tombe, qui tombe,
15 Attache au clou la ficelle longue, longue, longue,
Et, au bout, le hareng saur sec, sec, sec.

Il redescend de l'échelle haute, haute, haute,
L'emporte avec le marteau lourd, lourd, lourd,
Et puis il s'en va ailleurs, loin, loin, loin.

20 Et depuis le hareng saur sec, sec, sec,
Au bout de cette ficelle longue, longue, longue,
Très lentement se balance toujours, toujours, toujours.

J'ai composé cette histoire simple, simple, simple,
Pour mettre en fureur les gens graves, graves, graves,
25 Et amuser les enfants petits, petits, petits.

(*On applaudit.*)

Le Vice-Président. — Nos exigences vont plus loin. Il ne suffit pas de savoir déclamer, il faut aussi savoir chanter. Le candidat sera assez aimable de nous chanter une petite chanson française.

M. Louis, *se grattant l'oreille, commence.* —

>   Au clair de la lune,
>   Mon ami Pierrot,
>   Prête-moi ta plume,
>   Pour écrire un mot.
>   Ma chandelle est morte,
>   Je n'ai plus de feu.
>   Ouvre-moi ta porte,
>   Pour l'amour de Dieu.
>
>   Au clair de la lune
>   Pierrot répondit :
>   Je n'ai point de plume,
>   Je suis dans mon lit.
>   Va chez la voisine.
>   Je crois qu'elle y est,
>   Car dans la cuisine
>   L'on bat le briquet.

(*Applaudissements.*)

Le Vice-Président. — Le candidat ne m'a pas compris. Le cercle désire entendre une chanson sentimentale.

Louis, *se grattant l'oreille, après réflexion.* —

## Ma Normandie

Quand tout renaît à l'espérance,
Et que l'hiver fuit loin de nous,

Sous le beau ciel de notre France,
Quand le soleil devient plus doux,
Quand la nature est reverdie,
Quand l'hirondelle est de retour,
J'aime à revoir ma Normandie
C'est le pays qui m'a donné le jour.

J'ai vu les champs de l'Helvétie,
Et ses chalets et ses glaciers;
J'ai vu le ciel de l'Italie,
Et Venise et ses gondoliers;
En saluant chaque patrie,
Je me disais: « Aucun séjour
N'est plus beau que ma Normandie;
C'est le pays qui m'a donné le jour.»

Il est un âge dans la vie
Où chaque rêve doit finir,
Un âge où l'âme recueillie
A besoin de se souvenir.
Lorsque ma muse refroidie
Vers le passé fera retour,
J'irai revoir ma Normandie;
C'est le pays qui m'a donné le jour.
(*On applaudit.*)

Le Vice-Président. — Un des parrains a eu l'amabilité de nous confier que le candidat taquine la muse française. (*Louis fait des signes de dénégation.*) Chacun est prié de suggérer un sujet de poème à développer.

Le Secrétaire. — M. Andrin, quel titre suggérez-vous?

M. Andrin. — « A quoi pensent les jeunes filles? »
Le Secrétaire. — M. Benoît?
M. Benoît. — « Après la bataille? »
Le Secrétaire. — M. Claude?
M. Claude. — « La vie. »
Le Secrétaire. — M. Évrard?
M. Évrard. — « Le vase brisé. » (*Les suggestions continuent.*)

Le Vice-Président. — Vous avez entendu les différents sujets proposés par les membres du cercle. Lequel allons-nous choisir?

M. Benoît. — Je propose que monsieur le président fasse le choix.

M. Claude. — J'appuie cette motion. (*On vote affirmativement.*)

Le Président. — Comme la plupart des titres suggérés ont été traités par de grands poètes et que nous ne voulons pas obliger notre jeune ami de rivaliser avec eux, je choisis le titre « La vie. »

M. Louis, *accablé, réfléchit.* —

### La Vie

La vie est vaine :
Un peu d'amour,
Un peu de haine,
Et puis — bonjour.

La vie est brève :
Un peu d'espoir,
Un peu de rêve,
Et puis — bonsoir.
(*On rit.*)

Le Vice-Président. — Pour nous rendre compte du degré d'intelligence du candidat, nous allons lui soumettre à tour de rôle quelques devinettes ou charades.

Le Secrétaire. — M. Andrin, voulez-vous commencer?

M. Andrin. — Qu'est-ce qu'il y a au milieu de Paris?

M. Louis, *faisant des efforts de mémoire.* — La . . . colonne Vendôme!

M. Andrin. — Non, monsieur, vous n'y êtes pas. Pensez à l'alphabet.

M. Louis, *heureux.* — La lettre *r*, monsieur. Merci.

Le Secrétaire. — M. Benoît, à votre tour.

M. Benoît. — Quelle est la lettre de l'alphabet qui a joué le plus grand rôle pendant la dernière grande guerre? (*Louis, ahuri, se tait.*)

Le Président. — Le candidat a une grande qualité: il sait se taire quand il n'a rien à dire. (*On rit parce que c'est une remarque du président. M. Louis, très embarrassé, cherche toujours la réponse.*)

M. Benoît. — Eh bien, monsieur, c'est la lettre *a*, car sans la lettre *a*, *Paris* serait *pris*.

Le Secrétaire. — M. Claude?

M. Claude. —

« Quand mon premier est mon dernier,
    Alors on croque mon entier. »

M. Louis. — Est-ce un animal, monsieur?

M. Claude. — Non, monsieur, c'est quelque chose de bon à manger.

M. Louis. — Oh! j'y suis; c'est *bonbon*.

Le Secrétaire. — M. Dubois, à votre tour.

M. Dubois. — « Cinq voyelles, une consonne,
　　　　　　　Voici ce qui forme mon nom,
　　　　　　　Et je porte sur ma personne
　　　　　　　De quoi l'écrire sans crayon. »

M. Louis, *souriant*. — C'est l'*oiseau*.
Le Secrétaire. — M. Évrard, quelle est votre charade ?
M. Évrard. —

« Mon premier est un métal précieux ;
　Mon second est un habitant des cieux ;
　Et mon tout est un fruit délicieux. »

M. Louis, *sans hésitation*. — L'*orange*, monsieur.
Le Secrétaire. — M. Fontaine ?
M. Fontaine. — Ma charade est un peu longue :

« Tout paraît renversé chez moi.
　Le laquais précède le maître ;
　Le manant vient avant le roi ;
　Le simple clerc avant le prêtre ;
　Le printemps vient après l'été,
　Noël avant la Trinité.
　C'en est assez pour me connaître ! »

M. Louis, *après avoir réfléchi*. — Le *dictionnaire*.
Le Secrétaire. — Il faut varier les plaisirs. M. Louis, à votre tour, proposez-nous une énigme ?
M. Louis, *cherchant*. —

« Sur quatre pieds, le matin, marchant mal,
　Fier à midi, sur deux il se dandine ;
　Sur trois, le soir, lentement il chemine.
　Messieurs, quel est cet étrange animal ? »

Tous, *en chœur*. — L'*homme*.

Le Secrétaire. — Une autre, monsieur. Cette dernière était trop facile.

M. Louis, *docile*. —

« A une Jeune Fille

5 Modeste en ma couleur, modeste en mon séjour,
Franche d'ambition, je me cache sous l'herbe;
Mais si sur votre front je puis me voir un jour,
La plus humble des fleurs sera la plus superbe. »

Tous, *en chœur*. — La *violette*. (*Louis est au
10 désespoir*.)

Le Vice-Président. — Nous allons passer du plaisant au sévère, de l'agréable à l'utile, comme dit le poète. Chaque nouveau membre doit être au courant des expressions d'usage dans la direction d'un
15 cercle et capable de remplacer au pied levé n'importe quel membre du bureau. Monsieur le président va céder sa place un instant à M. Louis qui sera supposé présider à la première séance du cercle.

M. Louis, *s'asseyant et frappant un coup formidable
20 avec le maillet du président*. — La séance est levée. (*Se reprenant*.) Messieurs, la séance est ouverte. Comme c'est aujourd'hui notre première séance, nous allons procéder à l'élection des membres du bureau. Le cercle peut nommer un comité de trois membres
25 qui sera chargé de lui proposer des candidats, ou vous pouvez choisir les membres du bureau directement. Quel est votre bon plaisir, messieurs?

M. Dubois. — Je m'oppose à la nomination d'un comité. Je propose que l'élection se fasse directement par voie de scrutin; cette méthode est à mon avis la plus rapide, et évite les petites combinaisons machiavéliques.

M. Claude. — J'appuie la motion de M. Dubois.

M. Louis, *président temporaire.* — Quelqu'un demande-t-il la parole pour discuter cette proposition? Personne? Alors, je vais la mettre aux voix. Que ceux qui sont en faveur de la motion de M. Dubois, disent *oui.* (*On entend de nombreux* oui.) Que ceux qui sont de l'avis contraire, disent *non.* (*On n'entend que quelques* non.) Les *oui* étant plus nombreux que les *non*, la proposition est adoptée. Nous passons donc à l'élection du président.

M. Fontaine. — Je propose M. Andrin comme président.

M. Évrard. — J'appuie cette motion.

M. Benoît. — Je propose M. Claude.

M. Dubois. — J'appuie cette motion.

M. Louis, *président temporaire.* — Y a-t-il d'autres candidats? Non? Alors, nous allons ouvrir le scrutin. Monsieur le secrétaire va distribuer les bulletins de vote. Je rappelle à messieurs les membres que tout bulletin portant deux noms sera déclaré nul. (*On vote. Le secrétaire ramasse les bulletins et dépouille le scrutin, aidé du président temporaire.*) Messieurs, M. Andrin a reçu vingt voix, M. Claude huit. Je déclare M. Andrin élu président du cercle. Nous passons maintenant à l'élection du vice-président. (*L'élection des autres membres du bureau se fait de la même manière.*)

Le Vice-Président. — M. Louis est prié de redevenir simple candidat. (*M. Louis se lève.*) Il lui reste une épreuve à subir; il nous faut éprouver les dispositions de notre futur collègue. Pour cela, nous le livrons au bon plaisir de ceux qui voudront le brimer, et nous lui rappelons qu'il doit se soumettre à toute brimade sans la moindre trace de mauvaise humeur. Tout membre du cercle français doit toujours avoir le sourire sur les lèvres.

M. Évrard. — M. Louis doit avoir d'autres talents d'agrément que ceux qu'il nous a exhibés tout à l'heure. Chaque membre est invité à suggérer un cri d'animal que le candidat voudra bien reproduire de son mieux. (*M. Louis montre des signes de terreur.*) Les membres du bureau commenceront et les autres membres continueront en procédant par ordre alphabétique. Monsieur le président, c'est à vous à faire la première suggestion.

Le Président. — Le chien aboie. (*M. Louis imite le chien.*)

Le Vice-Président. — Le coq chante. (*M. Louis imite le coq.*)

Le Secrétaire. — Le cochon grogne. (*M. Louis imite le cochon.*)

Le Trésorier. — La vache beugle. (*M. Louis imite la vache.*)

M. Andrin. — Le corbeau croasse. (*M. Louis imite le corbeau.*)

M. Benoît. — La poule glousse. (*M. Louis imite la poule.*)

M. Claude. — Le pigeon roucoule. (*M. Louis imite le pigeon.*)

## L'Initiation

M. Dubois. — Le cheval hennit. (*M. Louis imite le cheval.*)

M. Évrard. — L'âne brait. (*M. Louis imite l'âne.*)

M. Fontaine. — Le chat miaule. (*M. Louis imite le chat. Les suggestions continuent.*)

M. Andrin. — Nous avons maintenant besoin d'un peu d'exercice physique. Je propose de passer le candidat à tabac.

Tous, *criant*. — En couverte ! en couverte ! Comptez-vous quatre ! (*M. Andrin déplie une couverture, les quatre plus forts en saisissent les coins, et M. Louis est précipité la tête la première dans la couverte tendue.*)

M. Andrin. — Marche ! (*La danse commence par des « Ah ! hisse ! » des quatre balanceurs au milieu des acclamations du cercle.*)

M. Andrin. — Au plafond ! (*Les balanceurs redoublent d'efforts et M. Louis bondit dans l'espace comme une balle élastique.*)

M. Andrin. — Arrêtez ! (*Le supplice cesse.*)

M. Louis. — Oh ! la la ! ma tête !

Le Vice-Président. — Messieurs, le candidat ayant subi toutes les épreuves avec la plus grande distinction, je propose qu'il soit élu membre du cercle à l'unanimité.

M. Dubois. — J'appuie cette motion.

Le Président. — Quelqu'un demande-t-il la parole ? Non ? Alors, que tous ceux qui approuvent cette proposition, lèvent la main. (*Tous le font.*) Je déclare que M. Louis est élu membre du cercle français à l'unanimité des voix, et je vais me faire le plaisir de le présenter personnellement à chacun des membres. (*Il le fait.*)

M. Évrard. — Je propose que la séance soit levée.

M. Louis. — J'appuie cette motion de tout mon cœur.

Le Président. — Messieurs, quel est votre bon plaisir ?

Tous. — Levez la séance.

Le Président. — La séance est levée.

# LA SURPRISE D'ISIDORE

*Comédie en un acte*

PERSONNAGES

ADOLPHE PICARD, *médecin aliéniste.*
SUZANNE, *sa femme.*
ISIDORE, *ami du docteur.*
MME DUVAL, *mère de Suzanne.*
JEANNE, *servante.*

*La scène représente le cabinet du docteur, attenant à un asile d'aliénés.*

## SCÈNE I

### LE DOCTEUR, JEANNE

LE DOCTEUR, *entrant et donnant sa canne et son chapeau à la bonne.* — Jeanne, préparez la petite chambre ; j'attends un nouveau malade d'un moment à l'autre.

JEANNE. — Bien, monsieur. (*Elle va vers la porte, puis se retourne.*) Est-ce que la personne que monsieur attend est une de celles qui . . . (*Elle se frappe le front.*)

LE DOCTEUR. — Cela vous intéresse ?

JEANNE. — Mais oui, monsieur. Je ne veux pas toujours vivre au milieu des craintes et des palpitations.

Le dernier client qui était en observation, comme monsieur dit, me poursuivait partout . . . et me donnait constamment des émotions . . .

Le Docteur, *riant.* — Je ne sais si ce nouveau client sera fou au point de vous donner des émotions, mais vous ferez bien d'être sur vos gardes.

Jeanne. — Merci, monsieur. (*Elle se dirige vers la porte.*)

Le Docteur, *la rappelant.* — Où est madame Picard?

Jeanne. — Elle est allée en ville faire des emplettes.

Le Docteur. — Un autre chapeau, sans doute. (*Jeanne sort.*)

## SCÈNE II

Le Docteur, *puis* Jeanne

Le Docteur, *s'asseyant à son bureau.* — Finissons ce rapport. (*Il travaille en silence pendant quelque temps.*)

Jeanne, *agitée.* — Monsieur ! . . . monsieur ! . . . Voici le fou ! . . . ah ! mon Dieu . . .

Le Docteur. — Quel fou? . . . Où est-il?

Jeanne. — Il est en bas.

Le Docteur, *regardant à sa montre.* — Impossible . . . Il ne peut être ici avant une heure au plus tôt.

Jeanne. — Je vous dis qu'il est en bas. Je viens de lui parler.

Le Docteur. — Comment ! . . . Il est seul . . . Personne n'est venu avec lui? . . .

Jeanne. — Non, monsieur . . . excepté ses valises.

Le Docteur. — Vous rêvez ?

Jeanne. — Non, monsieur, je ne rêve pas. Quand on a sonné, je suis allée ouvrir et j'ai vu un monsieur très bien qui m'a demandé : — C'est ici que le docteur Picard habite ? Je lui ai répondu : — Oui, monsieur. — Est-il chez lui ? m'a-t-il demandé. — Oui, monsieur, et votre chambre est prête. — Ma chambre ? . . . Et qui l'a préparée ? — Moi, monsieur, lui ai-je répondu. — Toi ! m'a-t-il dit, tu es bien gentille, Maria. — Je ne m'appelle pas Maria, je m'appelle Jeanne, pour vous servir. — Jeanne, s'est-il écrié, c'était le nom de ma grand'mère. Laisse-moi t'embrasser pour elle. — Non, monsieur, lui ai-je dit, c'est un péché. — Non pas quand je le fais pour ma grand'mère, m'a-t-il répondu . . . et alors, monsieur, comme j'ai si grand'peur des fous . . . et que c'était pour sa grand'mère, . . . que pouvais-je faire ?

Le Docteur, *riant*. — Vous a-t-il dit son nom ?

Jeanne. — Non, monsieur.

Le Docteur. — Faites le monter.

Jeanne. — J'y vais, monsieur. (*Elle arrive à la porte et se retourne effrayée.*) Le voilà qui monte ! . . . Je me sauve . . . (*Elle s'enfuit par une autre porte.*)

## SCÈNE III

### Le Docteur, Isidore

*Le docteur se cache un peu pour observer les mouvements du nouveau venu.*

Isidore, *à Jeanne qui se sauve*. — Ne te sauve pas . . . Je ne vais pas te manger . . . Ah ! ah !

ah ! . . . Tiens, ce doit être le cabinet d'Adolphe. Et lui ? . . . où est-il ? (*Appelant.*) Adolphe ! Adolphe !

Le Docteur, *s'avançant.* — Que voulez-vous ? (*Le reconnaissant.*) Isidore ! . . . ce cher Isidore ! . . .

Isidore. — Adolphe ! (*Ils s'embrassent.*)

Le Docteur. — Mais d'où viens-tu ? En voilà une surprise !

Isidore. — Vraiment ! . . . voilà ce que je voulais, te faire une surprise ! (*L'examinant.*) Tu ne vieillis pas . . . Tu es toujours comme au temps où nous étions étudiants ! . . .

Le Docteur. — Et toi ? . . . Il me semble que c'est hier que je t'ai vu . . . Et tu n'as changé en rien . . . Je le sais par la bonne.

Isidore, *riant.* — Ah ! elle t'a raconté ? . . . Que veux-tu ? . . . La jeunesse . . .

Le Docteur, *riant.* — Et ce qui est plus amusant, c'est qu'elle t'a pris pour un fou.

Isidore, *de même.* — Après tout, ce n'est pas la première fois . . .

Le Docteur. — Tu vas comprendre son erreur. Comme médecin aliéniste, je reçois ici beaucoup de malades en observation . . .

Isidore, *alarmé.* — Comment ! . . . ici ? . . . chez toi ? . . . (*Il regarde furtivement autour de lui.*)

Le Docteur. — Aujourd'hui même, j'attends l'arrivée d'un nouveau pensionnaire, et j'avais donné l'ordre à la bonne de préparer sa chambre. Quand tu es arrivé, tes manières un peu libres lui ont fait croire que tu étais . . . (*Il se touche le front.*)

## La Surprise d'Isidore

Isidore. — Ah! cela m'explique pourquoi ma chambre était prête . . . Mais tu as des fous en liberté ici? . . .

Le Docteur. — Il y en a deux ou trois dans l'asile à côté, à qui je permets de venir me voir quand ils veulent. Ils sont parfaitement inoffensifs. Par exemple, une de mes pensionnaires est une vieille dame distinguée qui se croit la reine de Saba. Si on ne la traite pas de Majesté quand on lui parle, si on ne lui baise pas la main, elle devient furieuse . . . Une autre croit qu'elle est invisible et . . .

Isidore, *alarmé*. — Et tous viennent te voir ici. (*Signe affirmatif du docteur.*) Alors . . . mon ami, je regrette de ne pouvoir rester ici . . . je me rappelle maintenant . . . que . . . je l'avais oublié . . . que je dois retourner chez moi par le premier train.

Le Docteur. — N'aie pas peur. Viens avec moi à l'hôpital. C'est l'heure de la visite, et tu auras l'occasion de voir des choses curieuses.

Isidore. — Non, non, merci. Je suis un peu fatigué. Je m'en vais. Je reviendrai une autre fois.

Le Docteur. — Puisque tu es fatigué, repose-toi ici, en attendant mon retour. Je reviens tout de suite, et nous pourrons parler un peu ensemble à notre aise. Tu partiras plus tard.

Isidore. — Tu crois . . . que je suis en sécurité ici? Personne ne viendra te rendre visite . . . en ton absence? . . .

Le Docteur. — Non, non, tu peux rester ici en toute sécurité. Tous les malades m'attendent à l'asile. Je reviens tout de suite.

## SCÈNE IV

Isidore, *seul*. — Puisqu'il n'y a pas de danger, je vais attendre le retour d'Adolphe et m'installer bien confortablement dans ce fauteuil. (*Il s'assied.*) Ah! je n'en peux plus, après ce long voyage... (*Il s'étire et bâille.*) J'ai presque envie de faire une petite sieste. (*Il ferme les yeux et en bâillant murmure.*) S'il n'y avait... seulement... pas... de fous... ici. (*Il s'endort.*)

## SCÈNE V

### Isidore, Jeanne

Jeanne, *apportant les valises d'Isidore*. — J'ai si peur de ce monsieur!... Monsieur... monsieur... votre chambre est prête... Si vous voulez venir... (*Regardant de tous côtés.*) Où est-il? Il ne répond pas. S'est-il enfui? (*Elle aperçoit Isidore dans le fauteuil.*) Oh! il dort... oh! qu'il est beau!... (*Elle dépose les valises.*) Quel dommage qu'il soit... (*Elle se touche le front.*) Quel dommage! (*Elle s'approche tout doucement.*) Il dort comme un bébé... Qu'il est beau!... Comme il respire tranquillement! (*Elle le contemple tout en s'approchant.*) Il est si beau!

Isidore, *s'éveillant en sursaut et effrayé*. — Eh!

Jeanne, *poussant un cri perçant et courant vers la porte*. — Ah! mon Dieu!...

Isidore. — Qu'y a-t-il? (*Voyant Jeanne.*) Ah! c'est toi, petite... viens ici... n'aie pas peur... Tu vois bien que je ne suis pas fou...

# La Surprise d'Isidore

Jeanne, *toujours à distance.* — C'est ce que tous les fous disent.

Isidore, *s'approchant d'elle.* — Alors . . . tu crois . . .

Jeanne, *se reculant.* — Je ne crois pas, . . . j'en suis sûre.

Isidore. — Comment ! . . . sûre ! . . . (*Il fait semblant de la poursuivre, et Jeanne, poussant un grand cri, court vers la porte où elle manque de renverser Mme Duval qui entre en ce moment.*)

## SCÈNE VI

### Les Mêmes, Mme Duval

Mme Duval, *le chapeau sur le côté.* — Qu'est-ce que ça signifie ? . . . En ma présence ! . . . (*Elle s'avance vers Isidore, le parapluie levé.*) Qui êtes-vous ? . . . Que faites-vous ici ? . . . Répondez vite . . . ou je vous casse mon parapluie sur la tête.

Isidore, *épouvanté.* — Une folle ! . . . Elle m'a vu ! . . .

Jeanne, *bas à Mme Duval.* — Prenez garde, madame ; . . . c'est un fou.

Mme Duval. — Comment ! . . . un fou ! . . . (*Elle essaie de se cacher derrière Jeanne.*) Ah ! mon Dieu ! . . .

Isidore, *à part.* — Que faire ? . . . (*Il essaie de se sauver. Les deux femmes, alarmées, cherchent aussi à fuir.*)

Mme Duval, *à Jeanne.* — Mais lâchez-moi donc . . .

Jeanne, *à Mme Duval.* — Mais c'est vous qui me tenez ! . . .

Isidore, *à part.* — Comment m'échapper? . . . (*Il se dirige vers la porte, mais les femmes font le même mouvement.*) Que faire? . . . Oh! . . . quelle idée! . . . Si cette dame était . . . (*A haute voix, se dirigeant vers Mme Duval.*) Que Votre Majesté . . .

Mme Duval, *à Jeanne.* — Tu entends? . . . Il a dit : « Votre Majesté » . . .

Jeanne. — Quand je vous le disais . . . (*Elle se frappe le front.*)

Isidore, *tremblant.* — Je supplie Votre Majesté de se calmer . . . Je m'étais endormi en attendant le docteur . . . et quand je me suis réveillé . . .

Mme Duval, *à Jeanne.* — Le pauvre garçon ! . . . Comme il divague ! . . .

Jeanne, *à Mme Duval.* — Quand je vous le disais . . . (*Elle se frappe le front.*)

Isidore. — J'ose prier Votre Majesté . . . de me . . . permettre . . . de m'en aller . . . et de lui baiser la main. (*Il s'approche de Mme Duval.*)

Jeanne, *à Mme Duval.* — Prenez garde . . . Il va vous mordre ! . . .

Mme Duval, *épouvantée.* — Au secours !

Jeanne, *criant aussi.* — Au secours !

Isidore, *de plus en plus tremblant.* — Qu'est-ce qu'il y a? . . . Ah! mon Dieu ! . . . Où suis-je venu me fourrer? . . . (*A Mme Duval.*) Je ne veux pas faire de mal à Votre Majesté . . . La seule chose que je lui demande est de me permettre . . . de m'en aller . . .

Jeanne, *à Mme Duval.* — Il veut se sauver.

Mme Duval, *à Jeanne.* — Tu crois? . . . (*A Isi-*

# La Surprise d'Isidore

*dore.*) Je le regrette, monsieur, mais vous ne pouvez sortir sans l'ordre formel du docteur . . .

Isidore, *à part.* — Que chante cette maudite vieille? . . . (*A Mme Duval.*) Mais si Votre Majesté l'ordonne . . .

Mme Duval, *clignant de l'œil à Jeanne.* — Tu vas voir . . . (*A Isidore.*) Ma Majesté ordonne . . . (*A Jeanne.*) Avec ces fous il n'y a pas d'autre moyen. (*A Isidore.*) Ma Majesté ordonne . . . que vous attendiez les ordres du docteur, monsieur . . . monsieur le marquis . . . (*A Jeanne.*) N'est-ce pas bien?

Isidore, *faisant des signes à Jeanne pour dire que Mme Duval est folle; à part.*) Elle m'appelle monsieur le marquis . . . Il n'y a pas de doute . . . C'est la folle . . . (*A Mme Duval.*) J'obéirai à Votre Majesté, mais je la prie seulement . . . de bien vouloir . . . daigner . . . me faire la bonté . . . de me laisser seul . . . jusqu'au retour du docteur.

Mme Duval, *à Jeanne.* — Sauvons-nous. (*A Isidore.*) Je le permets, monsieur le marquis. (*A Jeanne.*) Allons, Jeanne. (*Elle se retire en faisant de grands saluts à Isidore qui les lui rend cérémonieusement.*) Monsieur le marquis ! . . .

Isidore. — Votre Majesté ! . . .

## SCÈNE VII

Isidore, *seul, se laissant tomber épuisé dans un fauteuil.* — Ouf ! . . . elles sont parties . . . Ah! que cette vieille est méchante ! (*On entend un léger bruit. Il fait un bond formidable et regarde autour de lui.*) Oh! quelle peur j'ai eue ! . . . Je croyais qu'elle revenait . . . (*Voyant ses valises.*) La bonne a apporté mes valises . . . Si je pouvais m'en aller! . . . Je ne vais pas attendre Adolphe . . . Je vais lui écrire quelques mots d'excuses . . . Ah! que d'émotions! . . . quelle chaleur! (*Il cherche son mouchoir.*) Tiens, où est mon mouchoir? . . . Je l'aurai perdu . . . (*Il ouvre ses valises et les bouleverse.*) Où sont mes mouchoirs? Je suis certain de les avoir mis dans une des valises. (*Il laisse les valises ouvertes, le contenu en désordre.*) Je ne les trouve pas. (*Il se fouille de nouveau.*) Ah! le voici . . . (*Il s'essuie le front.*) Maintenant, je vais écrire un mot à Adolphe . . . (*Il lit à mesure qu'il écrit.*) « Mon cher Adolphe: Pardonne-moi de ne pas t'avoir attendu pour te dire adieu, mais je deviendrais fou si je restais ici . . . Je reviendrai te voir quand tu ne seras plus médecin aliéniste. A plus tard.

Ton tout dévoué<br>
Isidore. »

« Post-scriptum: Mes meilleures amitiés à la reine de Saba. »

Maintenant une enveloppe, et je pars . . . (*Il cherche une enveloppe partout, ouvre les tiroirs, etc.*) Où cet animal-là met-il ses enveloppes?

## SCÈNE VIII

### Isidore, Suzanne

Suzanne, *très surprise, regarde les valises et les tiroirs ouverts, mais ne voit pas Isidore; appelant timidement.* — Adolphe! . . . Adolphe! . . .

Isidore. — Hein?... Qui est là?... (*En voyant Suzanne, il fait un bond.*) Mon Dieu!... une autre folle!... Miséricorde!...

Suzanne, *prenant l'étranger pour un voleur.* — Au voleur! au voleur!...

Isidore, *effrayé, crie aussi.* — Au voleur! Où est le voleur?...

Jeanne, *accourant un plumeau à la main.* — Au voleur! au voleur!...

Mme Duval, *entrant un balai à la main.* — Au voleur! au voleur!... Où est-il, ce brigand?

Isidore, *tremblant.* — Où me fourrer?... (*Il essaie de se sauver, mais Mme Duval lui barre le passage avec son balai.*)

Mme Duval. — Halte! on ne passe pas.

Jeanne, *criant et le menaçant de son plumeau.* — C'est le fou... c'est le fou...

Suzanne, *effrayée.* — Un fou!... (*Elle pousse un cri perçant.*) Au secours!

Mme Duval, *de même.* — Au secours!

Isidore, *hors de lui.* — Au secours! au secours! (*Il essaie de se sauver de nouveau, mais Mme Duval et Jeanne lui barrent le passage.*)

Suzanne. — Allez appeler le docteur.

Jeanne. — J'y vais, madame.

Mme Duval, *retenant Jeanne.* — Non, restez ici; moi, j'irai.

Suzanne. — C'est moi qui irai.

Isidore, *se dirigeant vers la porte.* — J'irai moi-même, mesdames,... si vous me le permettez...

Jeanne, *criant.* — Il veut s'enfuir. Arrêtez-le!

Suzanne. — Ne le laissez pas sortir. (*Voyant qu'il va s'enfuir, toutes les trois poussent des cris perçants au moment où le docteur entre.*)

## SCÈNE IX

### Les Mêmes, Le Docteur

Le Docteur, *entrant*. — Qu'est-ce qu'il y a?

Isidore, Suzanne et Mme Duval, *se précipitant vers lui*. — Adolphe! . . .

Jeanne, *de même*. — Monsieur le docteur! . . .

Le Docteur. — Voyons . . . Qu'est-ce qu'il y a? . . . (*Tous les quatre parlent en même temps.*)

Suzanne. — Je vais te dire . . .

Mme Duval. — Imaginez-vous . . .

Jeanne. — Monsieur le docteur . . .

Isidore. — Mon cher ami . . .

Le Docteur. — Calmez-vous . . . pas tous ensemble . . . On se croirait dans un asile d'aliénés . . . (*A Isidore.*) Je parie que c'est toi . . .

Isidore. — Comment! . . . moi! . . . Ce sont tes folles, . . . tes folles en liberté . . .

Mme Duval et Suzanne. — Ses folles! (*Elles se parlent à voix basse. Jeanne sort.*)

Le Docteur. — Mais, mon ami, il n'y a pas de folles ici . . .

Isidore. — Comment! (*A voix basse.*) Et cette méchante vieille qui voulait me casser la tête avec son parapluie!

Le Docteur, *riant*. — Chut! . . . pas si haut! . . .

Isidore, *surpris*. — Qui est-elle?

## La Surprise d'Isidore

Le Docteur, *à voix basse.* — Ma . . . belle-mère . . .

Isidore, *interdit.* — Quoi ! . . . ta . . . belle . . . mère ! . . . Et moi qui la prenais pour la reine de Saba ! . . .

Le Docteur. — Si elle le savait, elle t'étranglerait . . .

Mme Duval, *au docteur.* — Eh bien, cet individu n'est pas fou peut-être? (*Le docteur rit aux éclats.*)

Suzanne. — Mais non, il n'est pas fou . . . c'est un voleur . . .

Isidore. — Quoi ! un voleur maintenant ! . . . Il ne manquait plus que cela ! . . . (*Au docteur, bas.*) Et celle-ci est aussi ta belle-mère sans doute ou une autre folle?

Le Docteur, *riant de plus belle.* — Mais non, . . . c'est . . . ma femme.

Isidore. — Ta femme ! ! ! . . . Tu es marié? ? ? Mais depuis quand? ? ? . . .

Le Docteur. — Viens, que je te présente à ces dames . . . Voici ma femme.

Isidore, *saluant Suzanne.* — Madame . . . Mais depuis quand es-tu marié?

Le Docteur. — Depuis six mois . . . (*Présentant Isidore.*) Madame Duval, ma belle-mère.

Isidore, *faisant une profonde révérence.* — J'ai déjà eu l'honneur de parler avec madame.

Le Docteur. — Monsieur est un ami d'enfance et de collège, Isidore, dont je vous ai tant parlé. Je n'avais pas eu de ses nouvelles depuis longtemps, et voilà qu'aujourd'hui il est venu me faire une surprise . . .

Isidore. — Eh bien, la surprise a été pour moi . . . Comment m'imaginer que tu étais marié ! (*Regardant Suzanne.*) Mais depuis que j'ai vu ta femme, je te pardonne . . .

Suzanne. — Monsieur, j'espère que vous nous ferez le plaisir de passer quelques jours auprès de nous.

Isidore. — Madame, votre aimable invitation me compense de toutes les émotions que j'ai eues dans cette maison. (*On rit.*)

Jeanne, *entrant.* — Le fou que monsieur le docteur attend est en bas avec une autre personne.

Le Docteur. — Je vais les recevoir.

Suzanne, *à Isidore.* — Venez avec nous dans le salon où nous serons plus à notre aise. (*A Jeanne.*) Prends les valises de monsieur — car je suppose que ce sont les siennes — et porte-les dans la chambre d'ami. (*Ils sortent.*)

Jeanne, *emportant les valises et regardant Isidore s'en aller.* — Quel dommage qu'il ne soit pas fou !

# A LA CHAMBRÉE

*Fantaisie militaire en un acte*

PERSONNAGES

BIDONNEAU, *caporal*.
FOUILLAUPE, *soldat*.

*Le caporal Bidonneau est en veste, pantalon rouge et képi d'infanterie.
Le soldat Fouillaupe est en bourgeron et pantalon de treillis.
Képi d'infanterie également.*

## SCÈNE PREMIÈRE

UNE VOIX, BIDONNEAU, FOUILLAUPE

UNE VOIX *énergique, dans la coulisse.* — Eh bien, cette théorie, est-ce pour aujourd'hui ou pour demain?

BIDONNEAU, *entrant.* — C'est pour tout de suite, mon lieutenant, à l'instant même. La sixième escouade, rassemblement. (*Fouillaupe passe. Bidonneau le retient par la manche.*) Eh bien! où allez-vous?

FOUILLAUPE. — Mais, caporal, je m'en vais à la théorie.

BIDONNEAU. — Eh bien, vous êtes à destination. Allons, fixe! A l'appel!... (*Bidonneau tire de sa poche son carnet d'appel.*) Patard?

FOUILLAUPE, *répondant pour les absents.* — Permission!

BIDONNEAU. — Lebibalec ?
FOUILLAUPE. — Cordonnier !
BIDONNEAU. — Bochenbuis ?
FOUILLAUPE. — Apprenti escrimeur !
BIDONNEAU. — Croquenot ?
FOUILLAUPE. — Élève tambour !
BIDONNEAU. — Fouillaupe ?
FOUILLAUPE. — Consigné !
BIDONNEAU. — Mais vous êtes là !
FOUILLAUPE. — Mais oui, je suis là, mais j'ai été consigné ce matin pour deux jours.
BIDONNEAU. — Qu'est-ce que vous chantez ?
FOUILLAUPE. — C'est vrai, voyons. C'est ce sale . . . (*Se reprenant.*) ce sergent de la troisième, parce que je n'ai pas frappé en entrant au bureau. Mais je ne savais pas ça, moi, voyons !
BIDONNEAU. — Eh bien, répondez « Présent ! » quand vous êtes là. Êtes-vous là ?
FOUILLAUPE. — Mais oui, je suis là.
BIDONNEAU, *furieux*. — Voulez-vous dire « Présent ! »
FOUILLAUPE. — Mais je veux bien, moi.
BIDONNEAU. — Eh bien ! dites-le, bon sang !
FOUILLAUPE, *énergiquement*. — Présent !
BIDONNEAU. — Flingot ?
FOUILLAUPE. — Aux patates !
BIDONNEAU. — Lebel ?
FOUILLAUPE. — Aux idem !
BIDONNEAU. — Aux idem ? ? ?
FOUILLAUPE. — Mais oui, aux idem, aux patates. Idem, ça veut dire pommes de terre ; mais tout le monde sait ça !

Bidonneau. — Gardez vos leçons pour vous. Picard ?

Fouillaupe. — Absent !

Bidonneau. — Oui, oui, je sais.

Fouillaupe. — Il est à la cantine ; il vous attend.

Bidonneau, *furieux*. — Ça ne vous regarde pas ; mêlez-vous de vos affaires.

Fouillaupe. — On ne peut rien dire, alors ! ! !

Bidonneau. — L'appel est fait ; il n'y manque personne. A droite et à gauche, formez le cercle, arche ! Nous allons faire la théorie sur les marques extérieures de respect. (*Bidonneau tire de sa poche une théorie, l'ouvre et lit.*) « Tout militaire doit, en toute circonstance, de la *différence* et du respect à ses supérieurs des armées de terre et de mer. » Quand vous rencontrez un officier, qu'est-ce que vous faites ? (*A Fouillaupe.*) Vous ! ! !

Fouillaupe. — Ça dépend où.

Bidonneau. — Vous rencontrez un officier . . . vous êtes dans la rue tout seul ; qu'est-ce que vous faites ?

Fouillaupe. — Quand je suis dans la rue tout seul ?

Bidonneau. — Oui . . .

Fouillaupe. — Je regarde les étalages.

Bidonneau. — Ce n'est pas ça, espèce d'idiot. Je vous pose une question : Vous êtes dans la rue tout seul, vous rencontrez un officier, que faites-vous ? ? ?

Fouillaupe, *abruti*. — ? ? ? ? ?

Bidonneau. — Vous le saluez, n'est-ce pas ?

Fouillaupe. — Mais oui, caporal, je le salue.

Bidonneau. — Mais comment le saluez-vous ?

Fouillaupe. — Je le salue en le saluant.

Bidonneau. — Mais comment est-ce que vous faites?

Fouillaupe. — Je lui fais un salut.

Bidonneau. — Quel salut! (*Il lit dans la théorie.*) « Le salut militaire à pied ou à cheval consiste à porter la main droite au côté droit de la visière, la paume de la main en avant, le coude légèrement levé, en regardant la personne qu'on salue. » Comme ça! ! ! Voyons, je suis officier, vous me voyez, saluez-moi à six pas.

Fouillaupe. — Mais je ne suis pas à six pas.

Bidonneau. — Mettez-vous-y, espèce de bleu; vous ne pouvez pas faire un demi-tour à droite et compter six pas? Allons, je vais le faire. Voilà votre mouvement. (*Ils font six pas ensemble et se trouvent à douze pas l'un de l'autre.*) Eh bien! où est-ce que vous êtes?

Fouillaupe. — Eh bien! j'ai fait six pas.

Bidonneau. — Bon sang! vous en avez des jambes!

Fouillaupe, *la figure tournée vers le mur*. — J'en ai deux.

Bidonneau. — Quelle tourte! C'est une expression que j'emploie pour vous dire que le pas est de soixante-quinze centimètres. (*Il les compte tout en parlant.*) Il y en a treize, là. (*Il se replace à six pas.*) Alors vous voilà de planton au mur . . . Demi-tour, droite! Allons, saluez-moi en passant. (*Fouillaupe passe en saluant.*) Très bien. Une autre supposition. Vous êtes à la musique; vous rencontrez le colonel; qu'est-ce que vous faites?

Fouillaupe. — Je me trotte.

Bidonneau. — Ce n'est pas ça, voyons. Vous êtes à la musique; vous voyez le colonel qui se promène; qu'est-ce que vous faites?

FOUILLAUPE. — Je le salue.

BIDONNEAU. — Ah !... Combien de fois?

FOUILLAUPE. — Chaque fois qu'il passe.

BIDONNEAU. — Ce n'est pas ça ; vous le saluez une fois.

FOUILLAUPE. — Laquelle, la première ou la deuxième?

BIDONNEAU, *hésitant, puis très affirmatif.* — La deuxième fois... si vous ne l'avez pas vu la première.

FOUILLAUPE. — Mais dites donc, caporal, n'est-ce pas la pause?

BIDONNEAU. — Allons, repos ! Ça vient, mais c'est dur. Je vais fumer une pipe. (*Il sort.*)

## SCÈNE II

FOUILLAUPE, *seul ; il tire une lettre de sa poche.* — Mais n'est-ce pas malheureux d'avoir un rendez-vous et d'être puni de deux jours? Quel métier ! Quel métier ! (*Il lit.*) « Mon gros François : Tu n'as point été gentil de m'avoir laissée t'attendre hier. Est-ce que tu as déjà oublié celle à qui tu as dit : ‹ Je vous aime? › J'ai peine à le croire, parce que mon cœur murmure le contraire. Demain, je suis libre. Je t'attendrai à six heures moins le quart à l'endroit ordinaire. Je mets ci-inclus un gros baiser sur la présente pour que tu le cherches. Ta Sophie. » (*Il replie la lettre et la met dans sa poche.*) Je ne peux pas répondre à son appel à cause de l'appel des consignés auquel je dois répondre d'abord, car si je n'y vais pas, je serai encore puni...

## SCÈNE III

FOUILLAUPE, BIDONNEAU, *rentrant la pipe à la bouche*

BIDONNEAU. — Avec qui causiez-vous, là, tout seul?

FOUILLAUPE. — Je ne disais rien.

BIDONNEAU. — Parbleu! je vous ai bien entendu; je ne suis pas aveugle.

FOUILLAUPE. — Eh bien, j'étais en train de me lamenter parce que j'ai des malheurs.

BIDONNEAU. — Quels malheurs!

FOUILLAUPE. — Eh bien, je devais rencontrer ce soir une personne avec qui j'ai un rendez-vous en ville.

BIDONNEAU. — Eh bien?

FOUILLAUPE. — Eh bien! et ma consigne? Je ne peux pas y aller puisque je suis puni.

BIDONNEAU. — Ne t'en fais pas, va, j'irai à ta place.

FOUILLAUPE. — Ah! mais, non!

BIDONNEAU. — N'aie pas peur. Je ne fréquente pas les connaissances des hommes de la compagnie. Et puis, j'ai une bonne amie qui est chouette, épatante. Mais assez causé. Garde à vos! Allons, continuons la théorie. A quoi reconnaissez-vous un officier? (*Il tire de sa poche la théorie.*)

FOUILLAUPE. — ? ? ?

BIDONNEAU. — Voyons, vous n'avez jamais vu le lieutenant Dumont, par exemple; comment le reconnaissez-vous?

FOUILLAUPE, *logique*. — Je ne puis pas le reconnaître si je ne l'ai jamais vu.

BIDONNEAU. — Espèce de tourte! Vous le reconnaissez à ses galons! Et, pour commencer par le commencement : le sous-lieutenant a un galon, le lieutenant deux, le capitaine trois, le commandant quatre, le colonel cinq, et le général . . . (*Il s'arrête.*)

Fouillaupe, *très sincère*. — Et le général, il en a six.

Bidonneau. — Ce n'est pas ça ; il n'a pas de galons ; il a des étoiles ! ! ! Voyons, à quoi reconnaissez-vous un lieutenant ?

Fouillaupe. — Il a deux galons.

Bidonneau, *très important*. — Et le lieutenant-colonel ?

Fouillaupe, *hésitant*. — Lieutenant . . . deux galons ?

Bidonneau, *ironique*. — Sur une manche, et puis cinq sur l'autre ?

Fouillaupe, *naïf*. — Oui ! ! !

Bidonneau. — Mais qui est-ce qui m'a bâti une moule pareille ? Le lieutenant-colonel a cinq galons en or dont deux en argent. Autre sujet. (*Ouvrant la théorie et lisant.*) « Devoirs des sentinelles. » Ouvrez les oreilles. « Les sentinelles ont toujours la baïonnette au canon ; elles doivent garder une *altitude* militaire. Il leur est défendu de s'asseoir, de lire, de siffler, chanter ou fumer, de parler à qui que ce soit sans nécessité . . . » Vous êtes en sentinelle, supposons, et moi je suis un civil quelconque. (*Bidonneau s'avance vers Fouillaupe ; il ne sait que dire.*) Et . . . à part ça . . . à cette heure . . . vous voilà en faction ?

Fouillaupe, *se promenant comme en faction*. — . . . .

Bidonneau. — Il fait beau, ce matin.

Fouillaupe, *même jeu*. — . . . .

Bidonneau. — Est-ce que vous êtes de la classe ?

Fouillaupe, *même jeu*. — . . . .

BIDONNEAU, *insistant*. — Est-ce vous qui vous appelez Fouillaupe?

FOUILLAUPE *fait signe que oui.* — . . . .

BIDONNEAU. — Euh! de la deuxième? . . .

FOUILLAUPE, *même jeu.* — . . . .

BIDONNEAU. — Eh bien, il y a une dame en chapeau qui vous demande à la grille.

FOUILLAUPE, *oubliant la consigne, répond simplement.* — Eh bien! où est-elle?

BIDONNEAU, *menaçant*. — Elle est . . . Vous mériteriez que je vous flanque deux jours!

FOUILLAUPE. — Pourquoi? Je n'ai rien fait!

BIDONNEAU. — Vous n'avez rien fait! ! ! Vous venez de parler à un civil, là, chose expressément défendue par la théorie.

FOUILLAUPE. — Mais ce n'est pas ma faute, voyons! Si vous n'aviez pas parlé, moi, je ne vous aurais rien dit.

BIDONNEAU. — Allons, c'est bien. (*Reprenant la théorie.*) Voyons, vous êtes en sentinelle, la nuit. Une ronde arrive. Qu'est-ce que vous faites?

FOUILLAUPE. — Je fais feu.

BIDONNEAU. — Quelle tourte que cet animal-là! Mais non. Vous criez tout simplement: « Halte-là! » La ronde fait halte. Vous criez: « Qui vive? » Elle vous répond: « Ronde de sous-officier. » Alors vous criez: « Avance au ralliement! » C'est compris? Là, vous voilà en sentinelle; le mot de ralliement est Sébastopol.

FOUILLAUPE, *qui n'a pas très bien saisi.* — C'est quoi?

BIDONNEAU. — Sébastopol!

Fouillaupe. — Très bien ; compris.

Bidonneau. — Vous n'en avez pas l'air ... Là, je suis la ronde. Je m'avance. (*Bidonneau marque le pas.*) Eh bien ! qu'est-ce que vous dites ?

Fouillaupe, *interdit.* — ....

Bidonneau. — Il faut crier : « Halte-là ! »

Fouillaupe, *bas.* — Halte-là !

Bidonneau. — Plus fort, bon sang de bon sang !

Fouillaupe, *hurlant.* — Halte-là !

Bidonneau *a marqué le pas ; il s'arrête.* — Vous ne voyez pas que je m'arrête ?

Fouillaupe. — Si ; alors ? ? ?

Bidonneau. — Dites : « Qui vive ? »

Fouillaupe. — Qui vive ?

Bidonneau. — Ronde de sous-officier !

Fouillaupe *fait le simulacre de se mettre en garde à la baïonnette.* — Avance au ralliement ! (*Les deux hommes se regardent comme deux chiens de faïence. Fouillaupe, regardé fixement par le caporal, croit que c'est à lui de dire le mot de ralliement ; il s'écrie.*) Ornano ! ! !

Bidonneau, *interdit.* — Quoi ?

Fouillaupe, *répétant avec force.* — Ornano ! ! !

Bidonneau. — Qu'est-ce que c'est que ça ? Ornano ! ! !

Fouillaupe. — Mais c'est le mot de ralliement !

Bidonneau. — Mais ce n'est pas à vous à le dire, espèce d'idiot ! ... Et puis ce n'est pas ça ... C'est Sébastopol !

Fouillaupe, *au comble de l'hébètement.* — Tiens, je me suis trompé de boulevard.

Bidonneau, *haussant les épaules.* — A-t-on jamais vu une moule pareille! Allons, portez-moi les armes et dites: « Rien de nouveau! »

Fouillaupe, *faisant le simulacre de porter l'arme.* — Voilà; rien de nouveau!

Bidonneau. — Eh bien, rappelez-vous tout ça si vous voulez un jour devenir caporal . . . Repos!

Fouillaupe. — Eh bien, il n'est que temps!

(*Aussitôt, Fouillaupe se met à chanter d'une voix fausse:* « *Sentinelle, ne tirez pas, c'est un zoiseau qui vient de France,* » *tandis que Bidonneau tire une photographie de sa poche et l'embrasse amoureusement.*)

Fouillaupe, *apercevant le geste du caporal.* — Ce n'est pas votre sœur, ça, bien sûr?

Bidonneau, *remettant rapidement le portrait dans sa poche.* — C'est ma bonne amie, une femme chouette.

Fouillaupe, *vantard.* — La mienne aussi, elle est chouette.

Bidonneau. — Tu n'as pas son portrait?

Fouillaupe. — Si, je l'ai toujours là, sur mon cœur. Eh bien, tenez, je vous le montrerai si vous voulez me faire voir celui de la vôtre.

Bidonneau. — Convenu!

(*Bidonneau et Fouillaupe tirent chacun une photographie de leur poche; après une courte hésitation, Fouillaupe remet le portrait qu'il possède à Bidonneau, et Bidonneau remet également celui qu'il possède à Fouillaupe. Effarement de Bidonneau qui reconnaît sa Sophie.*)

Bidonneau. — Mais, malheur, c'est ma Sophie!

Fouillaupe, *également très effaré.* — Mais c'est la mienne aussi! ! !

Bidonneau, *au comble de la rage.* — Vous n'avez pas honte de vous insinuer dans les affections de vos supérieurs ?

Fouillaupe, *rageur.* — Est-ce que je le savais, moi, voyons ? ? ?

Bidonneau, *furieux.* — Eh bien ! vous savez ... vous savez ... que vous avez deux jours ... avec le motif suivant. Eh bien ! mon vieux, je vais vous apprendre ... (*Il tire son carnet et écrit.*) « Deux jours de consigne au nommé Fouillaupe, soldat de deuxième classe, ordre du caporal Bidonneau, pour avoir, étant à la théorie, montré à ce caporal des images dans le but de se soustraire à la revue d'astiquage. »

Fouillaupe, *suffoqué.* — Mais ça, caporal, mais ça, ce n'est pas vrai !

Bidonneau. — Ce n'est pas vrai ! Voulez-vous que j'ajoute encore ça sur le motif ? Ce n'est pas vrai, espèce de bleu ! Allons, rompez ! (*Sortie rapide de Fouillaupe, suivi de Bidonneau qui ne cesse pas de clamer.*) Oui, si vous dites encore un mot, un seul mot, vous entendez, je vous fais fusiller et je vous envoie à Biribi !

# LES DEUX SOURDS

*Comédie en un acte*

#### PERSONNAGES

DAMOISEAU, *père d'Églantine.*
PLACIDE, *amoureux d'Églantine.*
BONIFACE, *domestique de Damoiseau.*
ÉGLANTINE, *fille unique de Damoiseau.*

5 *Le théâtre représente un petit salon donnant sur un jardin. Plusieurs portes. Une panoplie.*

### SCÈNE I

#### ÉGLANTINE ET BONIFACE

ÉGLANTINE, *assise et lisant.* — Ah! que je m'ennuie, Boniface! Depuis trois ans que mon père est sourd, il ne veut plus voir personne. Et il semble avoir 10 décidé de ne pas me marier. Il refuse tous les partis qui se présentent.

BONIFACE. — Oui, il dit toujours: « Ça n'est pas le gendre que j'ai rêvé ... »

ÉGLANTINE. — Maintenant personne ne se risque plus 15 à demander ma main. Ainsi ce jeune homme avec qui j'ai dansé, il y a un mois, au bal de madame Fauvel ...

BONIFACE. — Ah oui! vous m'avez souvent parlé de lui!

Églantine, *se levant*. — Je suis bien sûre que je lui plaisais, mais il n'aura pas osé me demander en mariage ; il savait la réponse qui l'attendait. Oh ! il faut que ça finisse ! (*Elle sort avec colère.*)

## SCÈNE II

### Damoiseau, *puis* Boniface

Damoiseau, *entrant un livre à la main et lisant*. — « La surdité est une des infirmités les plus insupportables à l'homme . . . » (*S'interrompant.*) Je n'avais plus d'espoir que dans un célèbre médecin qui prétend guérir la surdité à la minute par l'électro-acoustico-galvanisme . . . Je lui ai écrit de venir ici et je n'en ai pas de nouvelles. (*Il aperçoit Boniface.*) Ah ! tu es là, Boniface ? (*A lui-même.*) Voyons, qu'est-ce que je mangerais bien à dîner ? . . . Ah ! des perdreaux ! . . . (*Haut.*) Boniface, je voudrais manger pour mon dîner . . .

Boniface, *lui criant dans l'oreille*. — Des perdreaux ! . . .

Damoiseau, *surpris*. — C'est merveilleux ! Juste au moment où j'allais le dire ! Boniface, je reconnaîtrai tes services, tu seras dans mon testament . . . Je ne te dis pas pour combien, mais tu y seras. (*Il continue à lire.*)

Boniface, *à lui-même*. — Pour douze cents francs . . . Il y a longtemps qu'il me l'a dit . . .

Cris, *au dehors*. — Arrêtez-le ! arrêtez-le !

Boniface. — Qu'est-ce qu'il y a ? (*Coup de fusil.*)

Damoiseau, *croyant que Boniface éternue*. — Dieu

te bénisse, Boniface! (*Autre coup de fusil.*) A tes souhaits! . . . Où as-tu attrapé un pareil rhume?

BONIFACE, *courant à la fenêtre et criant.* — Ah çà! mais on chasse chez nous! Eh! là-bas! c'est une propriété privée, on n'entre pas ici.

DAMOISEAU, *courant aussi à la fenêtre.* — Qu'est-ce que c'est? un chasseur dans mon jardin! Ah! le misérable, il casse tout. Mon fusil, Boniface! (*Il prend celui de la panoplie.*)

BONIFACE, *prenant un balai au fond.* — Je vous suis, monsieur! (*Ils sortent en courant. Placide, vêtu en chasseur, un fusil à la main, entre par une autre porte.*)

## SCÈNE III

PLACIDE, *puis* DAMOISEAU *et* BONIFACE

PLACIDE, *seul.* — Il doit être ici . . . (*Il fait le tour du salon en regardant sous les meubles.*) Non! rien! (*Il pose son fusil sur la table et s'assied.*) Voilà un lapin que j'aurais payé trente sous et qui me coûtera cher. Et pour l'avoir, — ou plutôt pour ne pas l'avoir — je me suis levé ce matin à six heures; mon chien l'a débusqué; je l'ai poursuivi . . . Il a sauté une palissade; moi aussi. Alors j'entends des clameurs effroyables; on me poursuit comme un vulgaire lapin . . . Je perds la tête . . . mon lapin entre dans cette maison . . . je l'y poursuis . . . et j'arrive ici après avoir fait pour plus de cent francs de dégâts . . . pour un lapin de trente sous. (*Bruit au dehors.*) Allons-nous-en. (*Il veut sortir.*)

BONIFACE, *entrant, suivi de Damoiseau.* — Le voici.

Damoiseau, *criant.* — Nous le tenons . . . Je vais vous traîner en police correctionnelle . . . Votre nom?

Boniface. — Votre nom?

Placide, *balbutiant.* — Monsieur, voici ce qui . . .

Boniface, *criant dans l'oreille de Damoiseau.* — Il s'appelle Voiciski . . . C'est un Polonais . . . (*A Placide.*) Je vous ai crié: « On n'entre pas ici, c'est une propriété privée ! . . . » On aurait dit que je parlais à un sourd . . .

Placide. — Tiens ! il me donne une idée ! (*Haut.*) Messieurs, parlez plus haut . . . Je suis affligé d'une surdité complète.

Damoiseau. — Qu'est-ce qu'il dit?

Boniface. — Il dit qu'il est sourd.

Damoiseau. — Sourd ! . . . (*A Placide.*) Vous êtes sourd? . . . (*Placide fait signe que oui.*) Sourd ! . . . Ah ! mon cher Boniface, voilà le gendre que j'ai rêvé ! (*Il rit.*)

Boniface. — Hein? (*A part.*) Le gendre qu'il a rêvé ! . . . un sourd ! . . . ça m'en ferait deux dans la maison . . . Ah ! non . . .

Placide. — Tiens, il rit maintenant . . . me voilà tranquille.

Damoiseau, *à Placide.* — Monsieur, donnez-vous la peine. . . . (*Placide ne bouge pas. A lui-même.*) Quel bonheur ! il n'entend pas ! . . . (*Plus haut.*) de vous asseoir (*pantomime*) . . . asseoir !

Placide. — Après vous, monsieur, après vous . . .

Damoiseau. — Il est très bien élevé . . . Monsieur, vous êtes surpris sans doute de mon indulgence à votre égard, mais votre infirmité vous a créé des droits à mon plus vif intérêt.

Placide, *à part.* — Quelle bonne idée j'ai eue là !

Damoiseau, *à Boniface.* — Ah ! . . . mais s'il n'était pas garçon ? (*A Placide et criant.*) Monsieur, êtes-vous célibataire ? (*Il tend l'oreille.*)

Placide, *à part.* — Qu'est-ce que ça lui fait ?

Boniface, *à part.* — S'il pouvait être père de douze enfants ! (*Criant, à Placide.*) Vous êtes marié, n'est-ce pas ?

Placide, *criant.* — Non.

Damoiseau, *avec joie.* — Je crois qu'il a dit non. (*A Placide, criant.*) Vous êtes garçon ?

Placide. — Oui.

Damoiseau. — Qu'est-ce que vous dites ? . . .

Placide, *impatienté, criant.* — Oui ! (*A part.*) Ah çà ! mais c'est lui qui est sourd !

Damoiseau, *avec joie.* — Je crois qu'il a dit oui. Garçon ! . . . C'est un gendre qui me tombe du ciel ! . . . Monsieur, voulez-vous me faire le plaisir de dîner avec moi ?

Placide, *à part.* — Il est charmant, ce bonhomme-là ! . . . (*Criant.*) Monsieur, j'accepte avec bonheur.

Damoiseau. — Vous voulez dîner de bonne heure ? . . . soit ! Boniface, tu feras mettre trois couverts . . . et le dîner à cinq heures, au lieu de six.

Boniface, *s'inclinant.* — Oui . . . vieux sabot !

Damoiseau. — Va, mon ami.

Boniface. — Oui, vieille ganache !

Damoiseau. — Va, va !

Boniface. — Ah ! sans les douze cents francs que tu m'as promis dans ton testament, je t'aurais lâché depuis longtemps, toi et ta baraque ! . . .

Damoiseau. — Je le sais bien . . . tu m'es très dévoué. (*Boniface sort en grommelant.*)

## SCÈNE IV

Damoiseau, Placide, *puis* Boniface

Placide, *à Damoiseau*. — Comment ! monsieur, vous permettez que ce drôle ? . . .

Damoiseau. — Un parfait serviteur, monsieur, le modèle des domestiques.

Placide, *à part*. — Décidément, il est sourd.

Damoiseau. — Maintenant, mon cher monsieur, causons . . . (*criant*) confidentiellement. Si vous aviez été marié, je vous aurais envoyé en prison, mais vous êtes garçon ! . . . et, moi, je suis père, père d'une fille . . . Je vous l'offre en mariage.

Placide, *à part, stupéfait*. — Elle doit être bossue !

Damoiseau. — Cent cinquante mille francs de dot !

Placide, *se levant*. — Alors deux bosses ! . . . (*Haut et saluant.*) Monsieur ! . . . (*Il va pour sortir.*)

Damoiseau, *le retenant*. — J'avais une idée fixe . . . Vous ne vous êtes peut-être pas aperçu que je suis sourd ?

Placide. — Ah bah ! . . . (*A part.*) Elle est bonne, celle-là !

Damoiseau. — Je le suis . . . Je vis seul . . . ici . . . avec ma fille . . . elle ne voit que moi, ne parle qu'avec moi . . .

Placide, *à part.* — Elle doit beaucoup s'amuser...

Damoiseau. — Eh bien! suivez mon raisonnement. Avec un gendre aussi sourd que vous l'êtes... car vous l'êtes encore plus que moi... je ne serai pas isolé; vous parlerez très haut à ma fille... elle vous parlera de même... et je pourrai suivre la conversation tout naturellement, sans efforts et sans intermédiaire... Vous comprenez mon idée?...

Placide, *à part.* — Il est superbe d'égoïsme, ce papa-là. (*Boniface entre, une carte de visite à la main.*)

Damoiseau. — Vous aurez une femme jolie, riche, adorable!...

Boniface, *furieux, à part.* — Ça y est!... me voilà avec deux sourds!...

Placide, *à part.* — Comment, jolie?... elle n'est donc pas bossue?

Damoiseau. — C'est entendu... Mais avant de vous présenter à ma fille, entrez là, dans ma chambre, et faites-vous superbe... Il y a des brosses, des faux-cols... il y a un rasoir!... (*Placide ahuri entre dans la chambre indiquée.*)

## SCÈNE V

### Damoiseau, Boniface

Damoiseau, *radieux.* — Je savais bien que je le trouverais un jour ou l'autre, ce gendre que j'avais rêvé... (*A Boniface.*) Ah! c'est toi, Boniface?... Qu'est-ce que tu tiens donc là?... Une carte?...

Boniface, *lui donnant une carte.* — Celle d'un monsieur qui demande à te parler, vieux pot !

Damoiseau, *regardant la carte.* — Ciel !... c'est lui !...

Boniface. — Qui ?

Damoiseau. — Il est dans mon cabinet ?... J'y cours... Ah ! Boniface, il ne m'arrive que des bonheurs aujourd'hui ! (*Il sort en courant par la gauche.*)

## SCÈNE VI

### Boniface, Églantine

Églantine, *entrant par la droite et voyant sortir son père.* — Boniface, qu'a donc papa ?

Boniface. — Mademoiselle,... ce merle blanc de ses rêves... vous savez... ce gendre...

Églantine. — Oui... eh bien ?

Boniface. — Eh bien, il l'a trouvé !...

Églantine. — Ah ! mon Dieu !... et où est-il, ce monsieur ?

Boniface, *montrant la gauche.* — Là, dans cette chambre... il se prépare à vous épouser.

Églantine, *troublée.* — Et l'avez-vous vu ? Est-il jeune ? joli garçon ?

Boniface. — Il est plus sourd que votre père.

Églantine. — Ah ! mon Dieu !...

Boniface. — C'est la vérité, mademoiselle ; voilà le gendre qu'il avait rêvé !

Églantine. — Oh ! mais, je n'en veux pas ! M'avoir fait attendre si longtemps pour... Oh ! mais non ! non, cent fois non !

Boniface. — Bravo, mademoiselle . . . Il ne faut même pas que cet intrus dîne ici . . . vous allez le mettre à la porte avant le potage.

Églantine. — Certainement.

Boniface. — Attendez, je vais l'appeler. (*Appelant.*) Monsieur Voiciski ! . . . C'est un Polonais ! . . . (*Criant.*) Monsieur Voiciski ! . . . il y a quelqu'un qui veut vous parler. (*Placide sort de la chambre.*)

## SCÈNE VII

### Les Mêmes, Placide

Placide, *à part, voyant Églantine.* — Ah ! ciel ! . . . c'est elle ! . . .

Églantine, *à Placide.* — Comment ! monsieur, c'est vous ?

Boniface, *à part, surpris.* — Ils se connaissent !

Églantine. — Mon valseur que je retrouve ici !

Placide. — Ma charmante danseuse !

Églantine, *à Boniface.* — Mais monsieur n'est pas sourd . . . qu'est-ce que vous me chantez ?

Boniface. — Pas sourd ! . . . vous allez voir ça ! . . .

Placide, *à part.* — Et ne pouvoir la prévenir devant ce domestique !

Boniface, *d'une voix ordinaire.* — Monsieur, vous avez plu à M. Damoiseau, c'est très bien . . . mais mademoiselle va vous mettre à la porte.

Placide, *à part.* — Hein ?

Églantine, *vivement et avec reproche.* — Boniface ! . . .

BONIFACE, *riant.* — Il n'entend rien . . . Il croit que je lui fais un compliment.

ÉGLANTINE. — Mais c'est singulier . . . quand je l'ai vu chez madame Fauvel, il n'avait pas cette infirmité-là.

BONIFACE. — Vraiment?

PLACIDE, *à part.* — Ça se complique. (*Haut à Églantine.*) Hélas! mademoiselle, un grand malheur m'a frappé depuis le jour où j'ai eu le bonheur de vous rencontrer . . . une chute de cheval . . . je suis tombé sur la tête et il m'est resté cette malheureuse infirmité . . . je n'entends plus.

ÉGLANTINE. — Pauvre jeune homme!

PLACIDE. — Je n'entends pas, c'est vrai, je n'entends pas les indifférents . . . mais je crois que je vous entendrais, mademoiselle . . . Oh! parlez-moi, mademoiselle . . . et le pauvre sourd entendra!

ÉGLANTINE, *émue.* — Vraiment?

PLACIDE. — Tenez, vous avez dit « vraiment, » n'est-ce pas? Je l'ai compris au mouvement de vos lèvres.

BONIFACE. — Comment! . . . Il entend par l'œil! . . . (*A Églantine.*) Ah! j'y suis . . . c'est le hasard!

ÉGLANTINE. — Tu as raison . . . (*A elle-même.*) Quel dommage! . . . mais un mari sourd! . . . oh! non, c'est impossible! (*Elle sort par la droite.*)

PLACIDE, *la suivant jusqu'à la porte.* — Elle s'en va!

BONIFACE, *riant.* — Oui, sabot! oui, tête à perruque!

## SCÈNE VIII

Boniface, Placide. *Placide allonge un grand coup de pied à Boniface*

Boniface. — Hein? quoi?... qu'est-ce que c'est?...

Placide, *le poursuivant autour de la table*. — Ah! je suis un sabot; tiens! une tête à perruque, tiens! (*Coups de pied.*)

Boniface, *effrayé*. — Il entend!... il entend!...

Placide. — Chut!... Oui, j'entends!... pour toi!... mais je suis sourd pour M. Damoiseau, et si tu me trahis, je lui dirai de quelle façon tu le traites... J'ai entendu comment tu lui parles.

Boniface. — Ne lui dites pas cela, monsieur... songez que je suis pour douze cents francs sur son testament.

Placide. — Alors, silence pour silence!

Boniface. — Mais, monsieur Voiciski, du moment que vous n'êtes pas sourd, vous me convenez, je vous accepte!

Placide. — C'est heureux!

Damoiseau, *au dehors*. — Boniface!

Boniface. — Voilà monsieur, méfiez-vous... Il est malin; si vous vous trahissiez, tout serait perdu.

Placide. — Oh! sois tranquille... pour obtenir la main d'Églantine, je serai de marbre... un coup de canon ne me ferait pas tourner la tête!

Boniface. — Je cours à la cuisine... Vous, allez au jardin... Ah!... quand je sonnerai la cloche, ne l'entendez pas, ne venez pas... J'irai vous chercher. (*Ils sortent par le fond. Damoiseau entre tout joyeux par la gauche.*)

## SCÈNE IX

### Damoiseau, *puis* Églantine

Damoiseau, *seul, avec enthousiasme.* — Oh ! prodige ! oh ! miracle ! oh ! grand homme ! . . . oh ! merveilleux électro-acoustico-galvanisme ! ! J'entends ! J'entends ! ! J'entends ! ! !

Églantine, *entrant.* — Ah ! papa ! . . .

Damoiseau, *avec bonheur.* — Ah ! Églantine, embrasse-moi, chère petite ; tu vas avoir une surprise bien agréable !

Églantine, *tristement.* — Oh ! je sais.

Damoiseau. — Comment ! tu sais que je ne suis plus sourd ?

Églantine. — Hein ?

Damoiseau. — Guéri ! . . . depuis un quart d'heure ! . . . par ce célèbre médecin . . . tu sais . . . il est venu ! . . .

Églantine, *avec éclat.* — Oh ! quel bonheur !

Damoiseau, *se bouchant les oreilles.* — Réjouis-toi ! . . . mais moins haut ! . . . Je n'entendais plus . . . maintenant je crois que j'entends trop bien . . .

Églantine, *à part.* — Alors, lui aussi, on pourrait le faire entendre ! . . . (*Haut.*) Ah ! mon cher papa, que je suis contente ! . . . Je l'ai vu ! le jeune homme, le mari que tu m'as choisi . . .

Damoiseau, *souriant.* — Le mari que . . . Ah ! . . . et moi qui oubliais . . . Comme j'entends bien ! . . .

ÉGLANTINE. — Il a l'air très bon, ce jeune homme . . .

DAMOISEAU. — Je n'en veux plus !

ÉGLANTINE. — Hein ? . . . mais c'est toi-même qui lui as offert ma main ? . . .

DAMOISEAU. — Quand j'étais sourd, oui . . . mais à présent . . . donner ma fille à un sourd ! . . . jamais ! . . .

ÉGLANTINE. — Mais papa, puisqu'on t'a guéri, on peut le guérir aussi.

DAMOISEAU. — Il est trop sourd ! . . . il est inguérissable !

ÉGLANTINE. — Mais ton célèbre médecin peut essayer.

DAMOISEAU. — C'est impossible, te dis-je . . . Ne me parle plus de cet affreux sourd ! . . . J'ai fait la sottise de l'inviter à dîner . . . je ne veux pas passer pour un goujat ; il dînera mais seul avec moi ; . . . et je le congédierai vite.

ÉGLANTINE, *furieuse*. — Là ! . . . encore un mariage manqué !

DAMOISEAU. — J'en ai un autre tout prêt . . . J'ai reçu ce matin une lettre dans laquelle on me parle d'un charmant garçon . . .

ÉGLANTINE. — Je n'en veux pas à mon tour ! je n'en veux pas . . . je n'en veux pas . . . (*Elle sort.*)

## SCÈNE X

DAMOISEAU, *seul*. — J'entends trop ! . . . J'entends trop ! . . . Le misérable a tourné la tête à ma fille ! . . . Et dire que je l'ai invité à dîner ! . . .

Un étranger qui arrive chez moi comme un malfaiteur, en saccageant ma propriété !... Je vais le faire dîner de telle façon qu'il s'en ira de lui-même ... et il fera bien ... sinon, je le traduirai en police correctionnelle !... (*Bruit formidable de cloche.*) Ah ! qu'est-ce que c'est que cela ?... le tocsin !... il y a le feu quelque part !... (*Ouvrant la fenêtre.*) Ah !... c'est la cloche du dîner ! (*Criant.*) Assez ! ... assez !... (*Regardant dans le jardin.*) Le malheureux !... il est là, dans le jardin, ... et cet effroyable bruit ne lui fait seulement pas tourner la tête !... Ah ! voici Boniface qui va l'avertir ... Ce cher Boniface !... qu'il va être heureux d'apprendre ma guérison ! Je me réjouis de voir la surprise, la joie de ce brave serviteur qui m'est si dévoué !... (*Appelant.*) Boniface !... Boniface !... (*Boniface entre par le fond portant le potage.*)

## SCÈNE XI

### Boniface, Damoiseau

Damoiseau, *allant à lui.* — Ah ! mon cher Boniface !...

Boniface, *impatienté.* — Zut !...

Damoiseau, *abasourdi.* — Hein ?... (*A part.*) A qui dit-il zut ?...

Boniface, *mettant le potage sur la table.* — La voilà, ta soupe, la voilà, vieux goinfre ...

Damoiseau, *à part.* — Ah çà ! mais je suis tout seul ici ... c'est à moi qu'il parle !...

Boniface, *continuant de mettre le couvert.* — Sans les douze cents francs, il y a longtemps que je t'aurais lâché. (*Il sort par le fond après l'entrée de Placide.*)

## SCÈNE XII

### Damoiseau, Placide

Damoiseau, *à part.* — Alors, c'est ainsi qu'il me parlait! . . . attends! . . . je vais te mettre à la porte! . . . (*Voyant Placide.*) Et toi aussi . . . et tout de suite! . . .

Placide. — Ma foi, je mangerai avec plaisir.

Damoiseau, *à part.* — Soyons homme du monde, cependant. (*Haut, d'un air aimable.*) Désolé de vous avoir invité à partager mon dîner . . . J'espère qu'il sera exécrable.

Placide, *à part.* — Il est fou!

Damoiseau, *gracieusement.* — Prenez donc ce fauteuil . . . (*Placide va pour s'asseoir. Le lui retirant.*) Non, pas celui-ci, c'est le meilleur . . . je le garde pour moi. (*Il va en chercher un autre.*)

Placide, *à part.* — Ah! . . . il a des doutes sur ma surdité . . . Soyons sur nos gardes . . .

Damoiseau, *lui apportant un autre fauteuil.* — En voici un très dur . . . Je vous l'offre avec plaisir.

Placide, *à part.* — Amusons-nous . . . (*Gracieusement.*) On n'est pas plus grossier.

Damoiseau, *à part.* — Hein?

Placide, *d'un air aimable.* — J'aurai en vous un vilain beau-père, mais je vous lâcherai promptement, croyez-le!

Damoiseau, *de même.* — Moi, ton beau-père . . . animal ! jamais ! (*D'un air aimable.*) Asseyez-vous donc . . . vous serez très mal.

Placide. — Merci . . . vieux daim ! (*Ils s'asseyent à la table.*)

Damoiseau, *à part.* — Ah mais ! . . . ah mais ! . . . (*Haut et servant.*) Ce potage est froid . . . il est détestable . . . Je vais vous en donner beaucoup.

Placide. — Merci, ours mal léché ! . . . tu es bien heureux d'être le père de ta fille . . .

Damoiseau, *à part.* — Ah ! . . . je vais lui jeter une assiette à la tête ! (*Appelant.*)

(*Boniface entre portant un plat.*)

## SCÈNE XIII

### Les Mêmes, Boniface

Damoiseau. — Enlève le potage . . . monsieur n'a pas fini, ça m'est égal . . . Qu'est-ce que tu apportes là ?

Boniface, *posant le plat sur la table.* — Perdreau aux choux.

Damoiseau. — Bien ! . . . (*Servant.*) Je n'aime pas les choux, permettez-moi de vous les offrir et de garder le perdreau pour moi.

Placide, *se levant.* — Ah ! mais, à la fin ! . . .

Damoiseau, *se levant aussi.* — Vous n'avez plus faim ! tant mieux ! Je serai plus tôt débarrassé de vous ! . . . Boniface ! . . . des cigares ! . . . un très bon pour moi . . . pour lui un cigare d'un sou . . . c'est assez bon.

Boniface, *à Placide.* — C'est une épreuve, ne bronchez pas . . . Je lui en dis bien d'autres . . . vous allez voir. (*Présentant à Damoiseau une boîte de cigares.*) Voilà . . . vieux butor ! . . . vieille ganache ! . . . vieux . . .

Damoiseau, *lui donnant des coups.* — Tiens ! Ah ! tu m'en dis bien d'autres ! . . . ah ! je suis un vieux butor ! une vieille ganache ! . . . Ah ! tu me réponds zut ! . . . Ah ! sans les douze cents francs tu me lâcherais ! . . .

Boniface, *avec égarement.* — Il entend ! . . . Il entend ! . . .

## SCÈNE XIV

### Les Mêmes, Églantine

Églantine, *entrant.* — Qu'y a-t-il donc ?

Placide, *stupéfait, à Damoiseau.* — Comment ! vous entendiez ? . . .

Damoiseau. — Parfaitement ! . . . et je vais vous répéter, si vous le désirez, vos compliments de tout à l'heure.

Placide, *à Églantine.* — Monsieur votre père entend ? . . .

Églantine, *lui criant à l'oreille.* — Oui, depuis un quart d'heure . . . une guérison miraculeuse !

Boniface, *à Damoiseau.* — Et vous ne me prévenez pas, monsieur !

Damoiseau. — Je te préviens que je te chasse.

Placide, *bas, à Boniface.* — Je te prends.

Damoiseau, *très haut, à Placide.* — Et vous, monsieur, je vous renvoie.

Églantine. — Papa, je t'en prie . . . je l'aime ! . . .

# Les Deux Sourds

Placide. — Qu'est-ce que j'entends?... vous m'aimez?...

Églantine, *avec un cri.* — Ah!... vous entendez? (*Elle baisse les yeux avec confusion.*)

Damoiseau. — Comment! qu'est-ce que j'entends?... Il entend?... Entendons-nous!... Vous n'êtes donc plus sourd?

Placide. — Je ne l'ai jamais été... que par amour, monsieur Damoiseau!... J'ai commencé ce rôle pour conjurer votre colère à mon arrivée ici... je l'ai continué pour devenir votre gendre.

Damoiseau. — Après vos insultes?... jamais!...

Placide. — Mais rappelez-vous tout ce que vous m'avez dit et convenez que vous avez eu les premiers torts... Eh bien! malgré cela, je vous fais les plus humbles excuses.

Damoiseau, *avec hésitation.* — Retirez « vieux daim. »

Placide. — Je le retire.

Églantine. — Ah! papa, puisque tu l'as provoqué et qu'il retire « vieux daim... »

Damoiseau, *riant.* — Au fait, si vous avez entendu ce que je vous ai dit... Ah! ah! ah!...

Placide, *riant.* — Et vous, ce que je vous ai répondu... Ah! ah! ah!...

Damoiseau, *riant aux éclats.* — Nous n'étions sourds ni l'un ni l'autre... Ah! ah! ah!...

Placide, *riant.* — Ah! ah! ah!...

Églantine, *riant.* — Ah! ah! ah!...

Boniface, *venant entre Damoiseau et Placide.* — C'est une bonne plaisanterie!... Ah! ah! ah!... (*Il rit très fort.*)

DAMOISEAU. — Qu'est-ce que tu dis, toi? . . . veux-tu bien aller faire ton paquet tout de suite ! . . .

BONIFACE, *bas à Placide.* — Et mes douze cents francs?

PLACIDE, *bas.* — Je te les donnerai le jour de mon mariage.

# LE MÉDECIN MALGRÉ LUI

*Comédie en trois actes*

### PERSONNAGES

Géronte, *père de Lucinde.*
Lucinde, *fille de Géronte.*
Léandre, *amoureux de Lucinde.*
Sganarelle, *mari de Martine.*
Martine, *femme de Sganarelle.*
Robert, *voisin de Sganarelle.*
Valère }
Lucas } *domestiques de Géronte.*

## ACTE PREMIER

*La scene represente une forêt.*

### SCÈNE I

Sganarelle, Martine

Sganarelle. — Non, je te dis que c'est à moi d'être le maître !

Martine. — Et je te dis, moi, que je ne me suis point mariée pour souffrir tes insolences.

Sganarelle. — Ah ! tu fus bien heureuse de me trouver !

MARTINE. — Bien heureuse de te trouver! Un homme qui me réduit à l'hôpital, un traître qui me mange tout ce que j'ai! . . .

SGANARELLE. — Ce n'est pas vrai! j'en bois une partie.

MARTINE. — Qui me vend, pièce à pièce, tout ce qui est dans le logis, même le lit que j'avais! . . .

SGANARELLE. — Tu t'en lèveras plus matin.

MARTINE. — Enfin qui ne laisse aucun meuble dans toute la maison!

SGANARELLE. — On en déménage plus facilement.

MARTINE. — Et qui, du matin jusqu'au soir, ne fait que jouer et que boire!

SGANARELLE. — C'est pour ne pas m'ennuyer.

MARTINE. — Et que veux-tu, pendant ce temps, que je fasse avec ma famille?

SGANARELLE. — Tout ce qui te plaira.

MARTINE. — J'ai quatre pauvres petits enfants sur les bras . . .

SGANARELLE. — Mets-les à terre.

MARTINE. — Qui me demandent à toute heure du pain.

SGANARELLE. — Donne-leur le fouet.

MARTINE. — Et tu prétends, ivrogne, que les choses aillent toujours de même?

SGANARELLE. — Ma femme, allons tout doucement, s'il vous plaît.

MARTINE. — Que j'endure éternellement tes insolences?

SGANARELLE. — Ne nous emportons point, ma femme. Vous savez que je n'ai pas l'âme endurante et que j'ai le bras assez bon.

# Le Médecin Malgré Lui

MARTINE. — Je me moque de tes menaces.

SGANARELLE. — Ma petite femme, ma mie, vous avez envie de recevoir quelque chose.

MARTINE. — Crois-tu que je m'épouvante de tes paroles ?

SGANARELLE. — Doux objet de mes vœux, je vous frotterai les oreilles.

MARTINE. — Ivrogne que tu es !

SGANARELLE. — Je vous battrai.

MARTINE. — Sac à vin !

SGANARELLE. — Je vous rosserai.

MARTINE. — Infâme !

SGANARELLE. — Je vous étrillerai.

MARTINE. — Traître ! insolent ! trompeur ! lâche ! coquin ! pendard ! gueux ! bélître ! fripon ! maraud ! voleur !

SGANARELLE. — Ah ! vous en voulez donc ? (*Il prend un bâton et bat sa femme.*)

MARTINE, *criant*. — Ah ! ah ! ah ! ah !

SGANARELLE. — Voilà le vrai moyen de vous apaiser.

## SCÈNE II

### LES MÊMES, ROBERT

ROBERT. — Holà ! holà ! holà ! Fi ! Qu'est ceci ? Quelle infamie ! Quel coquin de battre ainsi sa femme !

MARTINE, *à Robert*. — Et je veux qu'il me batte, moi !

ROBERT. — Ah ! j'y consens de tout mon cœur.

MARTINE. — De quoi vous mêlez-vous ?

ROBERT. — J'ai tort.

MARTINE. — Est-ce là votre affaire ?

Robert. — Vous avez raison.

Martine. — Voyez un peu cet impertinent qui veut empêcher les maris de battre leurs femmes !

Robert. — Je me rétracte.

Martine. — Qu'avez-vous à voir là dedans ?

Robert. — Rien.

Martine. — Est-ce à vous d'y mettre votre nez ?

Robert. — Non.

Martine. — Mêlez-vous de vos affaires.

Robert. — Je ne dis plus mot.

Martine. — Il me plaît d'être battue.

Robert. — D'accord.

Martine. — Ce n'est pas à vos dépens.

Robert. — Il est vrai.

Martine. — Et vous êtes un sot de venir vous mêler de ce qui ne vous regarde pas. (*Elle lui donne un soufflet.*)

Robert, *à Sganarelle*. — Compère, je vous demande pardon de tout mon cœur. Faites, rossez, battez comme il faut votre femme ; je vous aiderai si vous le voulez.

Sganarelle. — Il ne me plaît pas, moi.

Robert. — Ah ! c'est une autre chose.

Sganarelle. — Je veux la battre, si je le veux, et ne veux pas la battre, si je ne le veux pas.

Robert. — Fort bien.

Sganarelle. — C'est ma femme, et non pas la vôtre.

Robert. — Sans doute.

Sganarelle. — Vous n'avez rien à me commander.

Robert. — D'accord.

Sganarelle. — Je n'ai que faire de votre aide.

Robert. — Très volontiers.

Sganarelle. — Et vous êtes un impertinent de vous occuper des affaires des autres! Apprenez que Cicéron dit qu'entre l'arbre et le doigt il ne faut point mettre l'écorce. (*Il bat Robert et le chasse.*)

## SCÈNE III

### Sganarelle, Martine

Sganarelle. — Ah çà! faisons la paix nous deux. Touche là.

Martine. — Oui, après m'avoir ainsi battue!

Sganarelle. — Ce n'est rien. Touche.

Martine. — Je ne veux pas.

Sganarelle. — Ma petite femme!

Martine. — Point.

Sganarelle. — Allons, te dis-je.

Martine. — Je n'en ferai rien.

Sganarelle. — Viens, viens, viens.

Martine. — Non, je veux être en colère.

Sganarelle. — Bah! c'est une bagatelle. Allons, allons.

Martine. — Laisse-moi là.

Sganarelle. — Touche, te dis-je.

Martine. — Tu m'as trop maltraitée.

Sganarelle. — Eh bien, va, je te demande pardon; mets là ta main.

Martine. — Je te pardonne. (*Bas, à part.*) Mais tu me le payeras.

Sganarelle. — Tu es folle de prendre garde à cela. Cinq ou six coups de bâton, entre gens qui s'aiment, ne font qu'aviver l'affection. Maintenant, je m'en vais au bois, et je le promets aujourd'hui plus de cent fagots.

## SCÈNE IV

### Valère, Lucas, Martine

Martine, *se croyant seule*. — Oui, il faut que je me venge. Ne puis-je point trouver quelque invention? (*Heurtant Valère et Lucas.*) Ah! messieurs, je vous demande pardon. Je ne vous voyais pas et je cherchais dans ma tête quelque chose qui m'embarrasse.

Valère. — Chacun a ses soucis dans ce monde, et nous cherchons aussi ce que nous voudrions bien trouver.

Martine. — Est-ce quelque chose où je puisse vous aider?

Valère. — Cela se pourrait; nous cherchons un habile homme, un médecin particulier qui puisse donner quelque soulagement à la fille de notre maître, atteinte d'une maladie qui lui a ôté tout d'un coup l'usage de la langue. Plusieurs médecins ont déjà épuisé leur science après elle.

Martine, *bas, à part*. — Ah! que le ciel m'inspire une admirable invention! (*Haut.*) Vous ne pouviez mieux vous adresser pour rencontrer ce que vous cherchez: nous avons un homme, le plus merveilleux homme du monde pour les maladies désespérées.

Valère. — Ah! de grâce, où pouvons-nous le rencontrer?

Martine. — Vous le trouverez maintenant tout près d'ici, qui s'amuse à couper du bois.

Lucas. — Un médecin qui coupe du bois !

Martine. — Oui, c'est un homme extraordinaire qui se plaît à cela, fantasque, bizarre, quinteux, et vous ne le prendriez jamais pour ce qu'il est. Il va vêtu d'une façon extravagante, affecte quelquefois de paraître ignorant, et refuse souvent d'exercer le talent merveilleux qu'il a reçu du ciel pour la médecine. Je vous avertis qu'il n'avouera jamais qu'il est médecin si vous ne prenez chacun un bâton et si vous ne l'obligez, à force de coups, à vous confesser à la fin ce qu'il vous cachera d'abord. C'est ainsi que nous faisons quand nous avons besoin de lui.

Lucas. — Voilà une étrange folie !

Martine. — C'est vrai ; mais, après cela, vous verrez qu'il fait des merveilles.

Valère. — Comment s'appelle-t-il ?

Martine. — Il s'appelle Sganarelle.

Lucas. — Allons vite le chercher.

Valère. — Nous vous remercions du plaisir que vous nous faites.

## SCÈNE V

### Sganarelle, Valère, Lucas

Sganarelle, *chantant derrière le théâtre.* — La, la, la . . .

Lucas. — J'entends quelqu'un qui chante et qui coupe du bois.

Sganarelle, *entrant sur le théâtre avec une bouteille à la main, sans apercevoir Valère ni Lucas.* — La, la, la . . . Ma foi, j'ai assez travaillé pour boire un coup. (*Il boit.*) Reprenons un peu haleine. (*Aperce-*

*vant Valère et Lucas qui l'examinent.*)   Que veulent ces gens?

Lucas, *à Valère.* — C'est lui, assurément.

Sganarelle. — Ils se consultent en me regardant. Quel dessein auraient-ils?

(*Sganarelle pose la bouteille à terre et, Valère se baissant pour le saluer, il croit que c'est pour la prendre et il la met de l'autre côté; Lucas faisant la même chose que Valère, Sganarelle reprend la bouteille et la tient sur sa poitrine avec divers gestes.*)

Valère. — Monsieur, n'est-ce pas vous qui vous appelez Sganarelle?

Sganarelle. — Oui et non, selon ce que vous lui voulez.

Valère. — Nous ne voulons que lui faire toutes les civilités que nous pourrons.

Sganarelle. — En ce cas, c'est moi qui me nomme Sganarelle.

Valère. — Monsieur, nous sommes ravis de vous voir. On nous a adressés à vous pour ce que nous cherchons, et nous venons implorer votre aide dont nous avons besoin.

Sganarelle. — Il est vrai, messieurs, que je suis le premier homme du monde pour faire des fagots.

Lucas. — Ah! monsieur . . . ne parlons point de cela, s'il vous plaît.

Valère. — Faut-il qu'une personne comme vous s'amuse à parler de la sorte! qu'un homme si savant, un fameux médecin comme vous, veuille se déguiser aux yeux du monde, et tenir cachés les beaux talents qu'il a!

## Le Médecin Malgré Lui

SGANARELLE, *à part.* — Il est fou. (*Haut.*) Que voulez-vous dire ? Pour qui me prenez-vous ?

VALÈRE. — Pour ce que vous êtes, pour un grand médecin.

SGANARELLE. — Médecin vous-même. J'ai servi six ans dans mon jeune âge un fameux médecin, mais je ne le suis point, et je ne l'ai jamais été.

LUCAS, *bas à Valère.* — Il faudra nous servir du remède.

VALÈRE, *à Sganarelle.* — Monsieur, encore un coup, vous n'êtes point médecin ?

SGANARELLE. — Non, vous dis-je.

VALÈRE. — Puisque vous le voulez, il faut s'y résoudre. (*Ils prennent chacun un bâton et le frappent.*)

SGANARELLE. — Ah ! messieurs, je suis tout ce qu'il vous plaira. J'aime mieux consentir à tout que de me faire assommer.

LUCAS. — Ah ! voilà qui va bien, monsieur ; je suis ravi de vous voir raisonnable.

VALÈRE. — Vous ne vous repentirez pas de vous montrer ce que vous êtes. Vous gagnerez tout ce que vous voudrez en vous laissant conduire où nous voulons vous mener.

SGANARELLE. — Je gagnerai ce que je voudrai ? Alors, je suis médecin. Je l'avais oublié, mais je m'en ressouviens. De quoi est-il question ? Où faut-il se transporter ?

VALÈRE. — Nous vous conduirons. Il est question d'aller voir une jeune fille qui a perdu la parole.

SGANARELLE. — Ma foi, je ne l'ai pas trouvée.

LUCAS, *bas à Valère.* — Il aime à rire.

VALÈRE, *à Sganarelle.* — Allons, monsieur.

## ACTE II

*Le théâtre représente une chambre de la maison de Géronte.*

## SCÈNE I

Géronte, Sganarelle, Valère, Lucas, *puis* Lucinde

Valère, *à Géronte.* — Oui, monsieur, vous serez satisfait ; et nous vous avons amené le plus grand médecin du monde.

Lucas. — C'est un homme qui a fait des cures merveilleuses.

Géronte, *à Sganarelle.* — Monsieur, je suis ravi de vous voir chez moi, et nous avons grand besoin de vous. J'ai une fille qui a une étrange maladie.

Sganarelle, *en robe de médecin, avec un chapeau des plus pointus.* — Je suis ravi, monsieur, que votre fille ait besoin de moi, et je souhaiterais de tout mon cœur que vous en eussiez besoin aussi, vous et toute votre famille, pour vous témoigner l'envie que j'ai de vous servir.

Géronte. — Je vous suis obligé de ces sentiments. (*Présentant Lucinde qui entre.*) Voici ma fille.

Sganarelle. — Est-ce là la malade ?

Géronte. — Oui. (*A Lucas.*) Un siège ?

Sganarelle, *assis entre Géronte et Lucinde; à Lucinde.* — Eh bien, qu'avez-vous ? Quel est le mal que vous sentez ?

Lucinde, *portant sa main à sa bouche, à sa tête et sous son menton.* — Han, hi, hon, han.

Sganarelle. — Eh ! que dites-vous ?

Lucinde *continue les mêmes gestes.* — Han, hi, hon, hon, han, hi, hon.

Sganarelle. — Han, hi, hon, han, ha. Je ne vous comprends point. Quel langage est-ce là ?

Géronte. — Monsieur, c'est sa maladie. Elle est devenue muette sans que jusqu'ici on ait pu en savoir la cause; et c'est cet accident qui a fait reculer son mariage.

Sganarelle. — Et pourquoi ?

Géronte. — Celui qu'elle doit épouser veut attendre sa guérison pour conclure les choses.

Sganarelle. — Et qui est ce sot-là qui ne veut pas que sa femme soit muette ? Je voudrais que la mienne eût cette maladie. Je me garderais bien de vouloir la guérir.

Géronte. — Enfin, monsieur, nous vous prions d'employer tous vos soins pour la soulager de son mal.

Sganarelle. — Ah ! ne vous mettez pas en peine. Dites-moi un peu : ce mal l'oppresse-t-il beaucoup ?

Géronte. — Oui, monsieur.

Sganarelle, *à Lucinde.* — Donnez-moi votre bras. (*A Géronte.*) Voilà un pouls qui marque que votre fille est muette.

Géronte. — Eh ! oui, monsieur, c'est là son mal. Vous l'avez trouvé du premier coup. Mais je voudrais bien que vous puissiez me dire d'où cela vient.

Sganarelle. — Rien de plus aisé : cela vient de ce qu'elle a perdu la parole.

Géronte. — Fort bien. Mais la cause, s'il vous plaît, qui fait qu'elle a perdu la parole ?

Sganarelle. — Tous nos meilleurs auteurs vous diront que c'est l'empêchement de l'action de sa langue.

Géronte. — Mais encore, votre opinion sur cet empêchement?

Sganarelle. — Cet empêchement de l'action de sa langue est causé par de certaines vapeurs . . . Ces vapeurs venant à passer du côté gauche où est le foie au côté droit où est le cœur, il se trouve que le poumon, ayant communication avec le cerveau par la veine cave, rencontre en chemin lesdites vapeurs qui remplissent les ventricules de l'omoplate. Voilà justement ce qui fait que votre fille est muette.

Géronte. — On ne peut pas mieux raisonner, sans doute. Il n'y a qu'une chose qui m'a choqué: c'est l'endroit du foie et du cœur. Il me semble que vous les placez autrement qu'ils ne sont, que le cœur est du côté gauche, et le foie du côté droit.

Sganarelle. — Oui, cela était autrefois ainsi; mais nous avons changé tout cela et nous faisons maintenant la médecine d'une méthode toute nouvelle.

Géronte. — C'est ce que je ne savais pas, et je vous demande pardon de mon ignorance.

Sganarelle. — Il n'y a point de mal et vous n'êtes pas obligé d'être si habile que nous.

Géronte. — Assurément . . . Mais, monsieur, que croyez-vous qu'il faille faire à cette malade?

Sganarelle. — Mon avis est qu'on la remette sur son lit et qu'on lui fasse prendre pour remède quantité de pain trempé dans du vin.

Géronte. — Pourquoi cela, monsieur?

Sganarelle. — Parce qu'il y a dans le vin et le

pain, mêlés ensemble, une vertu sympathique qui fait parler. Ne voyez-vous pas qu'on ne donne autre chose aux perroquets, et qu'ils apprennent à parler en mangeant cela?

Géronte. — Que cela est vrai! Ah! le grand homme! Vite, quantité de pain et de vin!

## SCÈNE II

### Léandre, Sganarelle

Léandre. — Monsieur, je viens implorer votre assistance. Pour vous dire la chose en deux mots, je m'appelle Léandre et je suis amoureux de Lucinde que vous venez de voir. Comme son père refuse de me la donner en mariage parce que je ne suis pas assez riche, je vous prie de m'aider à exécuter un stratagème que j'ai trouvé pour pouvoir lui dire deux mots d'où dépendent mon bonheur et ma vie.

Sganarelle. — Pour qui me prenez-vous?

Léandre. — Monsieur, ne faites point de bruit.

Sganarelle, *en le faisant reculer.* — Je veux en faire, moi! Vous êtes un impertinent!

Léandre. — Eh! monsieur, doucement!

Sganarelle. — Je vous apprendrai que je ne suis point homme à cela, et que c'est d'une insolence extrême . . .

Léandre, *tirant une bourse.* — Monsieur . . .

Sganarelle. — De vouloir m'employer . . . (*Recevant la bourse.*) Je ne parle pas pour vous, car vous êtes un honnête homme, et je serais ravi de vous rendre service . . .

Léandre. — Vous saurez donc, monsieur, que cette maladie que vous voulez guérir, est feinte. Il est certain que l'amour en est la véritable cause et que Lucinde n'a imaginé cette maladie que pour se débarrasser d'un mariage dont elle était importunée. Mais retirons-nous d'ici et je vous dirai en marchant ce que je pense faire.

Sganarelle. — Allons, monsieur.

## ACTE III

*Même décor que dans l'acte précédent.*

### SCÈNE I

Géronte, Lucinde, Sganarelle, Léandre, *déguisé en médecin*

Sganarelle. — Comment se porte la malade?

Géronte. — Un peu plus mal depuis votre remède.

Sganarelle. — Tant mieux; c'est signe qu'il opère.

Géronte, *montrant Léandre*. — Qui est cet homme-là que vous amenez?

Sganarelle. — C'est un jeune collègue que j'ai appelé en consultation.

Géronte. — Voilà ma fille qui veut un peu marcher.

Sganarelle. — Cela lui fera du bien. (*A Léandre*.) Allez, mon cher collègue, tâter un peu le pouls à la malade, et je parlerai tantôt avec vous de sa maladie. (*Sganarelle tire Géronte dans un coin du théâtre et lui passe un bras sur les épaules pour l'empêcher de tourner la tête du côté où sont Léandre et Lucinde.*) Monsieur c'est une grande et subtile question entre les docteurs de savoir si les femmes sont plus faciles à guérir que les hommes. Je vous prie d'écouter ceci, s'il vous plaît. Les uns disent que non, les autres disent que oui ; et moi je dis oui et non . . .

LUCINDE, *à Léandre.* — Non, je ne suis point capable de changer de sentiment.

GÉRONTE. — Voilà ma fille qui parle ! Ô grande vertu du remède ! ô admirable médecin ! Que je vous suis obligé de cette guérison merveilleuse ! Et que puis-je faire pour vous après un tel service !

SGANARELLE, *se promenant sur le théâtre et s'éventant avec son chapeau.* — Voilà une maladie qui m'a donné bien de la peine !

LUCINDE. — Oui, mon père, j'ai recouvré la parole, mais je l'ai recouvrée pour vous dire que je n'aurai jamais d'autre époux que Léandre.

GÉRONTE. — Mais . . .

LUCINDE. — Rien n'est capable d'ébranler ma résolution.

GÉRONTE. — Quoi ! . . .

LUCINDE. — Vous m'opposerez en vain de belles raisons.

GÉRONTE. — Si . . .

LUCINDE. — Tous vos discours ne serviront de rien.

GÉRONTE. — Je . . .

LUCINDE. — C'est une chose à laquelle je suis déterminée.

GÉRONTE. — Mais . . .

LUCINDE. — Et je me jetterai plutôt dans un couvent que d'épouser un homme que je n'aime point.

GÉRONTE. — J'ai . . .

LUCINDE. — Non. En aucune façon. Vous perdez le temps. Je n'en ferai rien. Cela est résolu.

GÉRONTE. — Ah! quelle impétuosité de paroles! Il n'y a pas moyen d'y résister. (*A Sganarelle.*) Monsieur, je vous prie de la faire redevenir muette.

SGANARELLE. — C'est une chose impossible. Tout ce que je puis faire pour votre service est de vous rendre sourd, si vous voulez.

GÉRONTE. — Je vous remercie. (*A Lucinde.*) Tu épouseras Horace dès ce soir.

LUCINDE. — J'épouserai plutôt la mort.

SGANARELLE, *à Géronte.* — Monsieur, arrêtez-vous. C'est une maladie qui la tient, et je sais le remède qu'il faut y apporter. Laissez-moi faire, j'ai des remèdes pour tout, et mon jeune collègue nous servira pour cette cure. (*A Léandre.*) Un mot. Allez lui faire faire un petit tour de jardin tandis que j'entretiendrai ici son père, mais surtout ne perdez pas de temps.


## SCÈNE II

### GÉRONTE, SGANARELLE, LUCAS

GÉRONTE. — Avez-vous jamais vu une insolence pareille à la sienne?

SGANARELLE. — Les filles sont quelquefois un peu têtues.

GÉRONTE. — Vous ne sauriez croire comme elle est éprise de ce Léandre; elle aurait été capable de s'en aller avec lui.

Lucas, *entrant essoufflé.* — Monsieur . . . monsieur . . . votre fille s'est enfuie avec son Léandre. C'était lui le jeune médecin, et voilà le monsieur qui a fait cette belle opération.

Géronte. — Comment! me tromper de la façon! Allons, un commissaire, et qu'on empêche qu'il sorte. Ah! traître, je vous ferai punir par la justice!

Lucas. — Ah! monsieur le médecin, vous serez pendu; ne bougez pas de là seulement.

## SCÈNE III

### Martine, Sganarelle, Lucas

Martine. — Ah! que j'ai eu de peine à trouver ce logis! Dites-moi un peu des nouvelles du médecin que je vous ai donné.

Lucas. — Le voilà qui va être pendu!

Martine. — Quoi! mon mari pendu! Hélas! et qu'a-t-il fait pour cela?

Lucas. — Il a fait enlever la fille de notre maître.

Martine. — Hélas! mon cher mari, est-il bien vrai qu'on va te pendre?

Sganarelle. — Tu vois. Ah!

Martine. — Encore si tu avais achevé de fendre notre bois, je prendrais quelque consolation.

Sganarelle. — Retire-toi de là; tu me fends le cœur!

Martine. — Non, je veux demeurer pour t'encourager à la mort, et je ne te quitterai point que je ne t'aie vu pendu.

Sganarelle. — Ah!

## SCÈNE IV

Géronte, Sganarelle, Martine, Léandre, Lucinde

Géronte, *à Sganarelle.* — Le commissaire viendra bientôt.

Sganarelle. — Hélas! cela ne peut-il se changer en quelques coups de bâton?

Géronte. — Non, non, la justice décidera. Mais que vois-je?

Léandre, *entrant avec Lucinde.* — Monsieur, je suis Léandre et je viens remettre Lucinde en votre pouvoir. Nous avions eu dessein de prendre la fuite et d'aller nous marier; mais nous avons pensé à un procédé plus honnête. Je ne prétends point vous voler votre fille et ce n'est que de votre main que je veux la recevoir. Je dois vous annoncer aussi que je viens de recevoir des lettres par lesquelles j'apprends que mon oncle est mort et que je suis héritier de tous ses biens.

Géronte. — Monsieur, j'approuve votre conduite et je vous donne ma fille avec la plus grande joie du monde.

Sganarelle, *à part.* — Je l'ai échappé belle!

Martine. — Puisque tu ne seras pas pendu, remercie-moi de t'avoir fait médecin, car c'est moi qui t'ai procuré cet honneur.

Sganarelle. — Oui! c'est toi qui m'as procuré je ne sais combien de coups de bâton! (*Il se frotte le dos.*)

# NOTES

# NOTES

PAGE 1, 5. alsacien : in 1914, at the very beginning of the Great War, the French recaptured a part of Alsace, a former French province that had been annexed by Germany in 1871, and French was taught to the children of that district by the Direct Method with very satisfactory results.

PAGE 2, 13. C'est bien : *That's all right.* The meaning of the adverb bien varies greatly, according to the context. See vocabulary for suitable translation whenever bien is met.

PAGE 4, 27. sème toujours : toujours, which is generally translated by *always* or *still*, has here a special meaning. Translate freely, *keep on sowing.* 29. **Mon Dieu** : this exclamation is very mild and is equivalent to the English *Dear me! Good gracious! Well!* 30. de l'avoine : oats is a cereal of which certain animals are especially fond.

PAGE 6, 27. d'un bleu de douceur et de fête : *of a subdued and festive blue.*

PAGE 7, 9. rouge sang = d'un rouge de sang, *blood red.* 10. rouge de noblesse et de gloire : *of a heroic and glorious red.* 21. la Marseillaise . the French national hymn composed in April, 1792, by Rouget de Lisle (also spelled l'Isle ; do not sound the *s*) at Strassburg (Alsace) when France was about to be attacked by Austro-Prussian armies.

PAGE 8, 3. Contre nous . . . est levé : poetical inversion ; translate as if the text were as follows, **L'étendard sanglant de la tyrannie est levé contre nous.** 10. qu' = *let.* 15. Sous nos drapeaux . . . accents : another poetical inversion for Que (*Let*) la victoire accoure sous nos drapeaux à tes mâles accents. 24. bien : *much.* See note to line 13, page 2.

PAGE 10, 11. Vous pensez = Vous le pensez, *Do you think so?*

133

PAGE **11**, 8. **Tiens** : such forms as **tiens, tenez, va, allons, voyons**, may be either real imperatives or exclamations. If the latter, their translations vary greatly, according to the context. Choose the most fitting meaning from the vocabulary. 10. **Aussi** : beginning a clause, **aussi** generally means *so, that is why*. 11. **ça m'est égal** : freely, *I don't mind that*. 17. **l'envie m'a pris** : freely, *I was seized with the desire*.

PAGE **12**, 2. **j'oubliais** = j'allais oublier. 6. **que vous êtes bonne** : *how kind you are!* Note the translation of **que** when exclamatory, and the different constructions in both languages. 9. **en faisant . . . gratitude** : *while thanking the lady most cordially*.

PAGE **13**, 10. **Pas un poisson** : an elliptic construction for (**Je n'ai**) **pas** (**pris**) **un poisson**. 14. **mon Dieu** : see note to line 29, page 4. 17. **aux** : *from the*.

PAGE **14**, 7. **quand ça** = quand ça (est-il arrivé)? 12. **toujours**: *still*. 13. **pas de réponse**: see note to line 10, page 13. 14. **toute blanche** : **tout**, although an adverb, takes the feminine form when it precedes a feminine adjective beginning with a consonant or *h* aspirate. 28. **On ne mange . . . faim** : *We do not always eat our fill.* 31. **on ne peut** = on ne peut pas. The use of **pas** is optional with such verbs as **pouvoir** (*to be able, can, may*), **savoir** (*to know*), **cesser** (*to cease*), and **oser** (*to dare*).

PAGE **15**, 3–13. **Jeanne . . . fâche** : these lines are from Victor Hugo's poem, *Les Pauvres Gens*. Victor Hugo (1802–1885) was the greatest French poet of the nineteenth century. 5. **vois-tu** : French parenthetical sentences are generally inverted. 7. **Cela nous grimpera** = Ils nous grimperont. 8. **cinq autres** : note the place of the numeral adjective in French. 9. **il** : *He*. Pronouns and adjectives referring to God are not capitalized in French as they are in English. 12. **je ferai double tâche** : freely, *I shall work twice as hard as I do now*. 13. **C'est dit** : *That's agreed*. 14. **Tiens** : see note to line 8, page 11.

PAGE **16**, 11. **C'est entendu** : *All right*, or *Agreed*. 16. **demi-heures** : the adjective **demi** does not vary when a part of a compound noun. 18. **où** : after an expression of time, **où** is translated by *when*. 19. **à la porte** : after eleven o'clock at night, Parisians living in an apartment house must ring the bell to gain admission and must wait until the janitor opens the door by pulling a cord or a wire.

PAGE 17, 1. **Il a ... le sommeil dur** : *He is ... hard to wake up*. 7. **Parbleu** : a corruption of **par Dieu**, but now a very mild exclamation. It often means *of course*, as it does here. — **mon ami** : *my dear*. 10. **Ça se saurait** : *That would be known*. The reflexive form is often used in French instead of the passive voice. 12. **pipelet** : an insulting term applied to the janitor. Translate here, *Cerberus*. 25. **Une grammaire française** : many children in rural Brittany, as well as in other rural districts of France, although taught French at school, keep on using their local dialects at home and among themselves.

PAGE 18, 1. **Allons** : see note to line 8, page 11. 14. **En voilà un cadeau** : freely, *What do you think of that for a gift?*

PAGE 19, 10. **C'est bon** : *All right*. 24. **tu aurais dû être** : *you should have been*.

PAGE 20, 5. **compartiment** : modern French railroad carriages are divided into small compartments of the first, second, and third classes, with a passageway (**le couloir**) running on one side, full length.

PAGE 21, 2. **s'il veut bien** : the adverb **bien**, following the verb **vouloir**, gives it the meaning of *to be willing to, to be kind enough to, to condescend to*. See note to line 13, page 2. 8. **Étampes** : the main town in the fertile wheat-bearing plain of la Beauce, southwest of Paris. 16. **nous autres** : *we* (emphatic). 18. **Aussi** : see note to line 10, page 11.

PAGE 22, 1. **Tenez** : see note to line 8, page 11. 9. **bazar** : a cheap store where many various articles can be bought, but without restriction as to prices as in the American " Five and Ten Cent Stores." 13. **un bourgeois** : literally, *a commoner* ; here used in a disparaging meaning, *a Philistine*, i.e., " a person who is indifferent to the higher intellectual interests." 22. **Soit** : when **soit** is exclamatory as here, the final *t* is sounded. Translate here, *All right !* 24. **le couloir** : see note to line 5, page 20. — **quelle rencontre** = quelle coïncidence !

PAGE 23, 4. **Pas du tout** : *Not at all.* See note to line 10, page 13. 5. **A Dieu ne plaise** : *God forbid.* 8. **Tout . . . descend** : *All out !*

PAGE 24, 13. **toute** : see note to line 14, page 14. 15. **Mademoiselle :** in English the family name of the teacher would be added.

PAGE 25, 21. **blanc chapeau** : in prose the adjectives of color always come after the noun they modify. 24. **si peu grand** = si court : an allusion to the fact that February is the shortest month.

PAGE 26, 5. **les tempes** = avec les tempes. 10. **Il a du foin dans chaque botte** : literally, *July has hay in each boot ;* freely, *July is the hay-making season.* **Avoir du foin dans les bottes**, meaning *to be well off*, is a very appropriate expression for July, the most plentiful month in the year. 12. **Et par la chaleur accablé** : poetical inversion for **Et accablé par la chaleur**. 23. **Salut** : elliptic for **Faisons un salut**, *Let us greet* or *All hail.*

PAGE 27, 3. **Plus de feuillage** : elliptic for **(Il n'y a) plus de feuillage**. 8. **On dirait . . . ombre** : in prose the phrase **fuyant la clarté** would be expected to come after the noun it modifies, **la nature**. 14. **La terre . . . couvrir** : poetical inversion for **La terre nue va bientôt se couvrir de fleurs**. 19. **qui vient d'éclore** : *which has just appeared.* **Venir de**, followed by an infinitive, is one of the most common French idioms and is rendered in English by *to have just* followed by a past participle. 28. **la saison de feu** : *the hot season.*

PAGE 28, 10. **où** : see note to line 18, page 16. 19. **au prix de** : obsolete or poetical for **auprès de**, *in comparison with, compared to.* 20. **il** : see note to line 9, page 15. 22. **Telle . . . éternelle** : poetical inversion for **Telle est la marche éternelle des saisons**. 24. **Des fleurs . . . fidèle . . .** : translate as if the text were, **Le tribut fidèle des fleurs, des moissons, des fruits, des glaçons . . .**

# Notes  137

PAGE **29**, 2. **fait . . . nos plaisirs** : freely, *brings us now troubles, now pleasures*. 7. **avoir bien voulu** : see note to line 2, page 21. 13. **un ban** : the French students' way of expressing satisfaction or approval. It consists in five quick clappings of the hands three times in succession, followed by three slow ones once: 1. 2. 3. 4. 5.   1. 2. 3. 4. 5.   1. 2. 3. 4. 5.   1 — 2 — 3. 22. **voyez-vous** : see note to line 5, page 15. 28. **je ne puis** : see note to line 31, page 14.

PAGE **30**, 8. **Je n'ai plus que deux mois à vivre** : do not confuse **ne . . . plus que** (+ number), *but . . . left*, with **ne . . . pas plus de** (+ number), *not more than . . .*, although in this case the meaning is about the same. Note the difference in meaning in the following sentences : **Il n'a plus que deux amis**, *He has but two friends left ;* and **Il n'a pas plus de deux amis**, *He has not more than two friends*. 18. **quelqu'un d'autre** : *somebody else*. Note that the preposition **de** is required between such words as **quelqu'un, quelque chose, rien, personne, ce que,** and the modifying adjective.

PAGE **31**, 1. **Je ne sais** : see note to line 31, page 14. 4. **Aussi** : see note to line 10, page 11. 9. **au fait = après tout.** 11. **C'est entendu** : see note to line 11, page 16. 23. **de l'audace . . . de l'audace** : words pronounced by Danton (1759–1794), one of the most notorious leaders of the French Revolution.

PAGE **32**, 21. **Les braves . . . s'entendre** : freely, *Courageous men (like us) are of such a nature that they cannot fail to come to an understanding*. 25. **Depuis quelque temps, je pensais** : *For some time, I had been thinking*. Cf. **Depuis quelque temps, je pense**, *For some time, I have been thinking*. Note in the above sentences the translation of the preposition **depuis** by *for*, and that of the imperfect and the present indicative respectively by the pluperfect and the perfect indicative of the progressive form.

PAGE **33**, 3. **tant de sympathie** : *such cordial feelings*. The French word **sympathie** has never the meaning *compassion, condolence* of the English. 5. **bien l'honneur** : *the* *great honor*, and supply **de vous saluer.** 8. **Ça a marché tout seul** : *My plan worked smoothly.*

PAGE **34**, 1. **ma résolution . . . arrêtée** : *I have definitely made up my mind.* See note to line 13, page 2. 8. **bien d'autres** : *many others.* **Bien du, bien de la, bien des** are often used for **beaucoup de** ; by exception **bien de** is required instead of **bien des** before **autres.** 25. **Je touche au** : *I am within sight of.*

PAGE **35**, 4. **ce . . . journal** : in relative clauses, the subject may come last ; invert the order in translating. 6. **vient d'être** : see note to line 19, page 27.

PAGE **36**, 6. **Depuis . . . j'ai mal aux yeux** : *For some time, my eyes have been hurting me.* See note to line 25, page 32.

PAGE **37**, 11. **donc** : the meaning of **donc** varies greatly according to the context. Translate here, *on earth* or *anyhow*. 27. **idiopathique** : *idiopathic, i.e.,* caused by injury to the retina or the optic nerve. 28. **symptomatique** : *symptomatic, i.e.,* caused by injury to the part of the brain that produces luminous impressions. — **sympathique** : *sympathetic, i.e.,* caused by injury to non-visual organs. 29. **mécanique** : *mechanical, i.e.,* caused by pressure on the optic nerve or the retina, or by organic changes in either. — **adynamique** : *adynamic, i.e.,* caused by a weakening of the retina.

PAGE **38**, 4. **Madame habite** : note the formal use of the third person instead of the direct address in the second person. 6. **Tours** : the former capital of the old province Touraine, situated about 150 miles southwest of Paris. 18. **A demain** : (*I hope to see you*) *to-morrow.*

PAGE **39**, 1. **Je n'y vois presque plus** : *I am almost blind.* 6. **Voilà six mois que je suis . . .** : more forceful than **Depuis six mois, je suis . . .** See note to line 25, page 32.

PAGE **40**, 3. **Je ne fais pas la charité** : *I don't give alms* or *I don't give to beggars.* 5. **Pardon = Je vous demande pardon,** *I beg your pardon* or *Excuse me.* 8. **C'est bien** : see note to line 13, page 2. 9. **toute** : see note to line 14, page 14.

## Notes 139

**12. Que**: translate by *May* or omit. **23. Comment**: when exclamatory, it is translated by *what!* when interrogative, by *how?* **27. Je sais ... parbleu**: *Say, don't I know what I am talking about?* See notes to line 13, page 2, and to line 7, page 17.

PAGE **41**, 6. **C'est ça**: *That's it.* 8. **Laissez-moi donc tranquille**: after an imperative, **donc** is used to give more emphasis to the thought. Translate freely, *Do leave me alone* or *Do stop talking nonsense.* See note to line 11, page 37. 16. **de ma part**: *as coming from me.*

PAGE **42**, 5. **justice de paix**: note that the English phrase *justice of the peace* is applied to a man and is translated into French by **juge de paix**, whereas the French phrase **justice de paix** refers to a court, corresponding to the American County Court. 9. **Je le prétends bien ainsi**: *I should expect so* or *That's what I certainly expect.* — **Ah çà**: an exclamation generally meaning *by the way;* translate here, *well.* 12. **Il n'y a point là de mal**: *There is no harm at all in doing that.*

PAGE **43**, 3. **pour faire croire à ton maître**: *to make your master believe.* Note that when the verbs **faire, laisser, entendre,** and **voir** are immediately followed by the infinitive of another verb, the subject of the latter is put in the dative form. 7. **ce que dit mon maître**: see note to line 4, page 35. 13. **ma foi**: literally, *(upon) my faith;* freely, *well.* — **ne sachant que faire**: here ne ... que has not the usual meaning, *only;* **pas** is omitted (see note to line 31, page 14), and **que** is a relative pronoun. Translate freely, *having nothing else to do.* 21. **qui lui manquaient**: *that were missing from his flock.* 25. **faire en sorte que**: *to see to it that.* 29. **il ne t'en coûtera pas**: an impersonal construction.

PAGE **44**, 13. **tu entends ... à tes bêtes à laine**: see note to line 3, page 43. 15. **faire le mouton**: *to play the part of a sheep.*

PAGE **45**, 10. **monsieur le juge**: *Your Honor.* 12. **Point d'insultes**: see note to line 10, page 13. 22. **Je n'en trouve plus que**: *I find that there are left only.* See note to line 8, page 30. **29. sauf votre respect** : freely, *speaking with all the respect due to you.* **31. trouvé sur le fait** : *caught in the act, "redhanded."*

PAGE **46**, 5. **rien de** : see note to line 18, page 30. 6. **je vis venir** : find out from the context whether **je vis** is the present indicative of **vivre** or the past definite of **voir**.

PAGE **47**, 4. **Habemus . . . reum** : a Latin phrase meaning *We have an accused man confessing his guilt.* 5. **Hors . . . procès** : *Thrown out of court, suit dismissed.* 18. **il me faut** = il faut me donner.

PAGE **48**, 5. **un mouton vêtu** : *a man masquerading as a sheep.*

PAGE **49**. TITLE. **Dans un ascenseur** : many modern Parisian apartment houses are provided with small elevators that passengers operate themselves by pressing a button. This accounts for the fact that the two characters of this play happen to be alone in the elevator. 11. **Regardant à sa montre** = Regardant (l'heure) à sa montre. 12. **Voilà . . . sommes** : see note to line 6, page 39. 15. **ma foi** : freely, *sure enough.*

PAGE **50**, 3. **Je vous ferai observer** : freely, *I beg to call to your attention the fact,* or *I beg to remind you.* 7. **Plaît-il** : instead of the English *what?* the French use the phrase **plaît-il?** literally, *does it please (you to repeat what you have just said)?* But here it expresses rebuke and may perhaps be better translated by *How dare you!* 23. **Croyez bien** : freely, *Do believe* or *I wish you to believe.* See note to line 13, page 2.

PAGE **51**, 7. **comme . . . loin** = que . . . loin. See note to line 6, page 12. 12. **Je venais de louer** : see note to line 19, page 27. 13. **au quatrième** : supply **étage**, *floor.* 14. **Votre veuvage était récent** : *You had just become a widow.* 19. **un zèle . . . un dévouement** : he cannot find an adequate adjective. Translate, *such a zeal,* etc. 28. **Du tout, ne continuez pas** : more forceful than **Ne continuez pas du tout**. 31. **Mais oui** : mais here emphasizes **oui**. Translate, *Why yes,* or *I do.*

## Notes    141

PAGE **52**, 2. **je ne vis que** : see note to line 6, page 46.
5. **Vous ... revanche** : freely, *You are making up for it.*
6. **de ce que** : *by the fact that.* 14. **encore** : *to quote another instance.* 30. **mal** : *unkind.*

PAGE **53**, 1. **à quel titre** = pourquoi. 3. **A titre de** = **Parce que je suis**. 7. **que** : the conjunction **que** is used here to avoid the repetition of **parce que**. — **vous ne voulez pas de moi** = **vous ne me voulez pas**. 14. **La purpurea campanella** : an imaginary flower. **Purpurea** is the feminine singular form of the Latin adjective *purpureus*, purplish ; *campanula*, little bell (not *campanella*), is the botanical term applied to the very large genus of bell-shaped flowers. 15. **la perle** = **la plus belle fleur**. 20. **Quoi donc** : *What about?* See note to line 11, page 37. 22. **Où ça** = **Où (avez-vous entendu) ça ?**

PAGE **54**, 2. **On se sera ... et on aura ...** : the past future is often used in French to express probability. Translate freely, *They have probably noticed*, etc. 19. **Il lui ... main** : *He taps one of her hands.* 20. **Ah ! mais** : freely, *Well, well !* — **Pas même moyen** : see note to line 3, page 27. 23. **un arsenal** : freely, *a lot of those things.* 25. **il en tombe un livre** : an impersonal construction for **un livre en tombe**. 30. **Ah ! mais** : *O ! but (this is a different story).*

PAGE **55**, 20. **C'est de la trahison** : literally, *It is treason ;* freely, *It is unfair.* 30. **Mais si** : *Yes, by all means.* **Si** is used instead of **oui** after a negative question. For the use of **mais**, see note to line 31, page 51.

PAGE **56**, 8. **ma foi** : see note to line 15, page 49. 11. **le troisième** : supply **étage**, *floor.* 12. **Il aurait bien ... peu** : *It might well have waited a little longer.* 18. **je me sauve** : freely, *I must hurry.*

PAGE **57**, 9. **Qui vive ? ... même** : this motto, *Who is there? France through thick and thin,* is engraved on the pedestal of the gigantic statue on the Place de la Concorde, Paris, representing the city of Strassburg. From 1871 to 1918, that is, during the time that Alsace-Lorraine was annexed to Germany, this statue was draped in black. 12. **Tout**

# 142   Notes

**homme ... sienne** : this sentence is attributed to Thomas Jefferson, President of the United States from 1801 to 1809. **15. Ils ne passeront pas** : *They shall not pass*, attributed to General Pétain, the leader of the heroic defenders of the fortress of Verdun against the infuriated attacks of the Germans in 1916. **17. On les aura** : *We will get them*, the motto of the French army during the Great War (1914-1918).

PAGE **58**, 1. **Lafayette, nous voilà** : *Lafayette, here we are*, words attributed to General Pershing on his visit to Lafayette's grave at the Picpus cemetery (Paris) in 1917. Every American knows the part that the Marquis de Lafayette (1759-1834) played in the American Revolution. 3. **Jusqu'au bout** : *Till the end*, the motto of General Galliéni, the military governor of Paris who contributed to the success of the first battle of the Marne (September, 1914) by his timely sending of troops by taxis from Paris. His motto was taken up by French civilians after his death (1915). **16. Que** : *Let*.

PAGE **60**, 4. **Il était** : poetical for **Il y avait**. This soliloquy in blank verse was written by Charles Gros, a French poet and scholar (1842-1888), who is considered the creator of the monologue. 7. **Il vient** : *A man comes*.

PAGE **61**, 27. **Ma Normandie** : a famous French song composed by Frédéric Bérat (1800-1855), a French song writer and composer. 28. **tout ... l'espérance** : *everything looks hopeful again*. 29. **que** : this conjunction is used here to avoid the repetition of **quand**.

PAGE **62**, 6. **qui ... le jour** : *where I first saw the light, where I was born*. 15. **Il est** : see note to line 4, page 60. 20. **Vers le ... retour** : poetical inversion for **fera retour vers le passé**.

PAGE **63**, 1. **A quoi pensent les jeunes filles** : the title of a poem by Alfred de Musset, a great French poet of the nineteenth century. 3. **Après la bataille** : the title of a poem by Victor Hugo ; see note to line 3, page 15. 7. **Le vase brisé** : a poem by the celebrated French poet Sully Prudhomme (1839-1907). 17. **que** : used here to avoid the

# Notes 143

repetition of **comme**. 21. **La vie** : this short poem is attributed to Joseph Méry (1798–1865).

PAGE **64**, 1. **nous rendre compte** : *to judge of.* 7. **La colonne Vendôme** : a column erected by Napoleon I to commemorate his victories, and adorning the Place Vendôme in Paris. 9. **Vous n'y êtes pas**: *Your guess is wrong.* 19. **toujours** : see note to line 27, page 4. 29. **Quelque chose de bon** : see note to line 18, page 30. 30. **J'y suis** : *I have it.*

PAGE **65**, 26-29. **Sur quatre . . . chemine** : the logical order is, **Marchant mal sur quatre pieds le matin, il se dandine sur deux (pieds) fier** (for **fièrement**, *proudly*) **à midi ; il chemine lentement sur trois (pieds) le soir**.

PAGE **66**, 12. **le poète** : Horace, Quintus Horatius Flaccus (65–8 B.C.), a Roman lyric and satirical poet. 14. **expressions d'usage:** for more details about French parliamentary terms, see the article *Le Cercle Français* by R. P. Jamieson in *The Modern Language Journal*, April, 1918. 15. **au pied levé** : *without notice, unexpectedly.* 27. **bon** : omit in translation.

PAGE **67**, 2. **machiavéliques** : *Machiavelian*, i.e., *unscrupulous*, like the principles explained in the treatise " The Prince " by Machiavelli, a famous statesman and historian born in Florence, Italy (1469–1527).

PAGE **68**, 1. **Il lui reste** : an impersonal construction. 3. **nous le . . . plaisir** : *we deliver him into the hands.*

PAGE **69**, 7. **passer à tabac** : colloquial expression meaning *to put through the third degree ;* here *to haze.* 9. **en couverte** : *(let us toss him) in a blanket.* **Une couverte** is a soldier's blanket. For a longer description of such a hazing, see Georges Courteline's " Les Gaîtés de l'Escadron." — **Comptez-vous quatre** : *Form a group of four.* 12. **tendue** : *held tight.* 13. **Marche:** *Go ahead.* 20. **Oh ! la la** : *Ouch!*

PAGE **71**, 12. **monsieur** : note the polite use of the third person singular by the servant instead of the direct address, **vous attendez**. 16. **mais oui** : see note to line 31, page 51.

PAGE **72**, 6. **Vous ferez bien** : *You had better.* 22. **regardant à sa montre** : see note to line 11, page 49.

# Notes

PAGE **73**, 4. **très bien** : *well dressed*. 12. **grand'mère** : **grand** was formerly masculine and feminine. An apostrophe was added by grammarians who wrongly thought that the final **e** had been elided. This spelling has been kept in a few set expressions such as **grand'mère**, *grandmother*, **grand'peur**, *great fear*, **grand'rue**, *main street*, **grand'messe**, *high mass*, etc. 14. **Non pas** : more emphatic than **pas**. 16. **que** : used to avoid the repetition of **comme**.

PAGE **74**, 7. **En . . . surprise** : see note to line 14, page 18. 16. **Que veux-tu** = **Que veux-tu (que j'y fasse)**, *What do you want me to do about it?* Translate freely, *I cannot help it*. 17. **La jeunesse . . .** : *Youth will have its way*. 20. **de même** : same by-play as above. 27. **Aujourd'hui même** : *This very day*. 30. **lui** : see note to line 3, page 43.

PAGE **75**, 8. **la reine de Saba** : *the Queen of Sheba*, a monarch of a South Arabian tribe, and contemporary with King Solomon whom she visited.

PAGE **76**, 3. **je n'en peux plus** : *I am tired out*. 13. **qu'il est beau** : see note to line 6, page 12. 14. **quel dommage** : *What a pity!* or *Isn't that too bad?*

PAGE **77**, 11. **sur le côté** : *on one ear*. 20. **Comment** : see note to line 23, page 40. 25. **donc** : see note to line 8, page 41.

PAGE **78**, 5. **Que** : *Let*. 8. **Quand je vous le disais** = **(N'avais-je pas raison**, *Was I not right*) **quand je vous le disais?** Freely, *I told you so*. 14. **Comme il divague** : *How his mind wanders!* 25. **Où suis-je venu me fourrer** : *Where have I " landed "?* 31. **Tu crois** : see note to line 11, page 10.

PAGE **79**, 10. **monsieur . . . monsieur le marquis** : translate freely, *Your . . . Your Grace*.

PAGE **80**, 5. **Que d'** : *How many!* 6. **Je l'aurai perdu** : see note to line 2, page 54. 17. **A plus tard** : (*I hope to see you*) *later*.

PAGE **81**, 15. **on ne passe pas** : *you cannot pass*.

PAGE **82**, 17. **Comment** : see note to line 23, page 40.

PAGE **83**, 10. **mais non** : *why, no*. See note to line 31

## Notes                                     145

page 51. 12. **Il ne manquait plus que cela** : literally, *Only that was wanting*; freely, *That caps the climax*, or *This is the last straw*. 16. **de plus belle** : *more and more heartily*. 20. **que je** = **pour que je**. Freely, *Let me*. 30. **voilà que** : *all of a sudden*.

PAGE 85, Title. **A la Chambrée: la chambrée** — a military term, *sleeping quarters*. These are also used as living rooms in the daytime. Translate freely, *A Barracks Scene*. 9. **mon lieutenant**: he answers the invisible lieutenant. When addressing an officer, civilians, soldiers, and officers of a lower grade generally use **mon** before his title. 17. **permission**: *on leave*.

PAGE 86. 13. **voyons**: *just the same*. See note to line 8, page 11. 14. **la troisième**: supply **compagnie**. 16. **je ne savais pas ça, moi, voyons** : freely, *tell me, how was I to know that?* 21. **je veux bien**: see note to line 2, page 21. 25. **patates**: literally, *sweet potatoes*. **aux patates**: colloquial for **aux pommes de terre**, *peeling potatoes* (see line 30 below), corresponding to K. P. (Kitchen Police duty).

PAGE 87, 9. **Il n'y manque personne** : *All present or accounted for*. 10. **arche** = **marche**. Keep in mind that there is only one private present. 11. **faire la théorie . . . de respect** : *to study the Manual for Instruction in Military Courtesy*. 14. **la différence** : Bidonneau, although a corporal, now and then trips in reading unfamiliar words; here, he reads **différence**, *difference*, whereas the text has **déférence**, *deference*. 17. **Vous** : he points to Fouillaupe to answer his question as if he had his choice. 24. **Ce n'est pas ça** : *That's not what I mean.* — **espèce d'idiot** : *you fool!*

PAGE 88, 11. **faire . . . droite** : *execute an about face*. 12. **Voilà votre mouvement** : *This is how you do it*. 16. **vous en avez des jambes** : double interpretation, either *what long legs you have!* (that is what the corporal means), or *how many legs have you?* (that is what Fouillaupe understands). 26. **à la musique** = **au concert**. Military bands often play in the afternoon in the park or on the main public square of the town in which they are garrisoned.

PAGE 89, 10. **dites donc** : see note to line 8, page 41.

## 146    Notes

11. **la pause** : *time to rest.* 12. **Ça vient, mais c'est dur** : freely, *You are learning, but it is rather hard* or *slow.* 16. **Quel métier** : literally, *What a profession!* freely, *"This is some job."* 17. **François** : Fouillaupe's Christian name. 20. **J'ai peine à** : *I can hardly.*

PAGE 90, 14. **Ne t'en fais pas** : the complete expression is **Ne te fais pas de bile** (f., *gall, anger*), or **Ne te fais pas de chagrin** (m., *grief*), *Don't worry, Don't fret.* Note the second person singular, the informal way of address ; now and then, when he is not speaking of military matters, Bidonneau forgets his rank. 15. **Ah ! mais, non** : freely, *Nothing of the kind.* 19. **assez causé** = Nous avons assez causé. — **Garde à vos** for **Garde à vous** (*At-tention !*) because more sonorous.

PAGE 91, 5. **Ce n'est pas ça** : freely, *Wrong again.* 15. **qui ... une moule pareille** : literally, *who built for me such a mussel?* freely, *who wished such a boob on me?* 20. **altitude** for **attitude**. See note to line 14, page 87. 25. **ne sait que** : see note to line 13, page 43. 26. **à cette heure** : colloquial for **maintenant**, *now.* 30. **Est-ce que ... de la classe** : *Is this your last year in service?* Cf. the senior year in American high schools and colleges.

PAGE 92, 3. **que** : expletive.  Omit in translating. 4. **deuxième** : supply **compagnie**. 14. **venez de parler** : see note to line 19, page 27. 22. **Quelle ... que** : more forceful than **Quelle tourte cet animal-là est !** 25. **Ronde de sous-officier:** *Corporal of the guard !* 28. **Sébastopol** : a seaport on the Black Sea (Russia), famous for the siege it stood in September, 1854, against the Anglo-French armies and fleets; there is also a well-known boulevard by that name in Paris. For both soldiers, the word **Sébastopol** has no historical significance, as will be seen later.

PAGE 93, 12. **si** : see note to line 30, page 55. 20. **Ornano** : the name of a celebrated Corsican family, several members of which distinguished themselves in the military career in Corsica and in France. There is also a well-known boulevard by that name in Paris.

PAGE 94, 3. **rien de nouveau** : see note to line 18, page 30.

**8. il n'est que temps** : *it is high time.* **10. un zoiseau** : faulty pronunciation for **un oiseau**. Uneducated people, misled by the plural **les oiseaux** where the **s** of **les** is linked to the first vowel **o** of **oiseaux**, make the singular **le zoiseau** instead of **l'oiseau**. This is the title of a popular patriotic song, supposed to be sung by an Alsacian when under German domination before the Great War. **20. Si** : see note to line 30, page 55. **29. malheur** : exclamation, *for pity's sake !* or *Say, what do you know about that?*

PAGE **95**, 4. **Est-ce que je . . ., voyons** : see note to line 16, page 85. 8. **mon vieux** : *old man.* 9. **vous apprendre** : *to teach you (a lesson).* 10. **soldat de deuxième classe** : *private.* 19. **rompez = rompez (les rangs)**, (mil.) *dismissed !* 22. **je vous envoie à Biribi** : Biribi is an imaginary place, somewhere in Africa, where very unruly soldiers are sent (labor battalions). Cf. the military prison at Fort Leavenworth, Kansas. Translate freely, *I am going to have you court-martialed.*

PAGE **97**, 2. **il n'aura pas osé** : see note to line 2, page 54. 9. **l'électro-acoustico-galvanisme** : of course an imaginary remedy. 13. **bien** : *anyhow* or *on earth.*

PAGE **98**, 4. **chez nous** : *in our garden.* 10. **suis** : find out through the context whether **suis** is the present indicative of **être** or **suivre**. 14. **Il** : the rabbit that Placide is pursuing.

PAGE **99**, 5. **Voici ce qui** : supply **est arrivé**. 7. **Voiciski** : on hearing the beginning of Placide's explanation when asked for his name, Boniface jumps to the conclusion that it is his real name. 21. **ça m'en ferait deux** : *there would be two deaf men.* 23. **me voilà tranquille** : *I may have my mind at ease.*

PAGE **100**, 7. **Qu'est-ce que ça lui fait** : *What is that to him?* 25. **de bonne heure** : Damoiseau catches only the last word of Placide's answer (**bonheur**), and he thinks he says that he would like his dinner **de bonne heure**, *early.* 26. **Soit** : see note to line 22, page 22. 29. **Va** : *Go (and attend to your business).*

148                                   Notes

PAGE **101**, 2. **tu . . . t' . . . toi . . . ta** : the use of the second person singular here shows great disrespect. 23. **Elle** : refers to **cette plaisanterie** (*joke*) understood. Cf. English : *That's a good one.*

PAGE **102**, 9. **d'** : *in his.* 14. **ça y est** : *that is done, that is all settled.* 23. **Je savais bien** : *I was sure.* See note to line 13, page 2. 26. **Qu'est-ce que . . . donc** : *What on earth . . . ?* See note to line 11, page 37.

PAGE **103**, 7. **il ne . . . des bonheurs** : an impersonal construction, *only pleasant things happen to me . . .* 26. **je n'en veux pas** = je ne le veux pas. 27. **Oh ! mais non** : see note to line 15, page 90.

PAGE **104**, 1. **Il ne faut . . . intrus** : *That intruder must not even . . .* 14. **se** : reciprocal here, *each other.*

PAGE **105**, 7. **Ça se complique** : *The plot thickens.* 11. **il m'est resté** : an impersonal construction. 23. **J'y suis** : see note to line 30, page 64.

PAGE **106**, 4. **tiens** : Placide kicks Boniface every time he says **tiens**. 20. **monsieur** : *my master.* 22. **sois tranquille** : *don't worry.*

PAGE **107**, 16. **Quel bonheur** : *How fine !*

PAGE **108**, 3 **Je n'en veux plus** : see note to line 26, page 103. 19. **encore . . . manqué** : freely, *another chance of marrying gone.*

PAGE **109**, 4. **il fera bien** : see note to line 6, page 72. 11. **lui**: see note to line 3, page 43. — **seulement**: *even.* 13. **qu'il . . . heureux** : see note to line 6, page 12. 25. **ta** : see note to line 2, page 101.

PAGE **110**, 23. **On n'est pas** = On ne peut pas être.

PAGE **111**, 6. **Ah ! mais** : *O, but (that is going too far).* He is greatly offended on hearing himself called **vieux daim**. 9. **ours mal léché** : literally, *badly licked bear;* freely, *ill-mannered fellow.* This expression comes from the habit that female bears have, in common with many other animals, of licking their little ones at birth. — **tu . . . ta** : the use of **tu . . . ta** (see note to line 2, page 101) shows that Placide is losing his patience. 15. **ça m'est égal** : *I don't care.* 22. **à**

# Notes  149

la fin : freely, *that is going too far*. 24. **faim** : Damoiseau pretends here to confuse **fin** and **faim**, which are pronounced alike.

PAGE **112**, 2. **Je lui en dis bien d'autres** : freely, *You should hear how I abuse him*. For **bien d'autres**, see note to line 8, page 34. 18. **Monsieur votre père** : out of politeness, the words **monsieur, madame, mademoiselle** are used before **père, frère, oncle, mère, sœur, tante**, etc., whenever the latter are preceded by the possessive adjective **votre**.

PAGE **113**, 14. **vous avez . . . torts** : freely, *you started it*. 20. **qu'** : used to avoid the repetition of **puisque**. 21. **au fait** : see note to line 9, page 31.

PAGE **114**, 1. **veux-tu bien aller . . .** : *aren't you going . . .?* or *do go . . .*

PAGE **116**, 2. **me réduit à l'hôpital** : freely, *drives me to the poorhouse*. 8. **en . . . plus matin** : *all the earlier*. 17. **sur les bras** : *on my hands*. 23. **aillent . . . de même** : *go on . . . in the same way*. 25. **allons . . . vous** : note the change from the informal to the formal address, showing that Sganarelle is getting angry.

PAGE **117**, 17. **en** : refers to **coups** (*blows*) understood.

PAGE **118**, 2. **Voyez un peu** : *Just see*. 19. **battez comme il faut** : literally, *beat as one should* ; freely, *give a sound beating to*. 31. **Je n'ai que faire** : *I have no use for*.

PAGE **119**, 4. **Cicéron . . . écorce** : Sganarelle misquotes a proverb which he incorrectly attributes to the great Roman orator Cicero (106–43 B.C.). The correct form of the proverb is : **Entre l'arbre et l'écorce, il ne faut point mettre le doigt,** the literal translation of which is *You must not put your finger between the tree and the bark*. Translate freely, *It is never safe to interfere in family matters*. 7. **Touche là** : *Shake hands*. 12. **Point** : elliptic for (**Je ne le ferai**) **point**. 13. **Allons** : see note to line 8, page 11. 27. **s'** : reciprocal, *each other*.

PAGE **120**, 1. **ne font que . . .** : *only result in*, or *only contribute to*. 2. **plus de** : *more than*. Cf. note to line 8, page 30. 20. **que . . . admirable invention** : *What an ad-*

PAGE **121**, 8. **si vous ne prenez** : **pas** may be omitted in a secondary clause beginning with **si**, *if*.

PAGE **123**, 12. **s'y résoudre** : *come to it.* 17. **voilà qui va bien** = **voilà (une chose) qui va bien.** Freely, *that's all right.* 28. **la parole** : *her speech.* 30. **Il aime à rire** : freely, *he is fond of a joke.*

PAGE **124**, 9. **en robe de médecin** : in the seventeenth century, physicians wore long black gowns and pointed hats. 23. **Han, hi, hon, han** : these sounds seem to resemble a donkey's braying.

PAGE **125**, 11. **les choses** = **le mariage.** 17. **employer tous vos soins** : freely, *do your very best.* 20. **ne vous ... peine** : *don't worry.* 21. **Dites-moi un peu** : *Just tell me.* 27. **du premier coup** : *at once.* 29. **rien de plus aisé** : see note to line 18, page 30. — **de ce que** : **du fait** (*fact*) **que.**

PAGE **126**, 6. **ces vapeurs ... omoplate** : Sganarelle's explanation is of course nonsensical. For his knowledge of medical terms, see text, page 123, lines 5–6. 7. **venant à passer** : **venir à** followed by an infinitive is translated by *to happen to.* Cf. note to line 19, page 27. 8. **il se trouve** : an impersonal construction. 9. **la veine cave** : " vena cava," " either of the two trunks (ascending vena or descending vena) of the venous system, discharging into the right cardial auricle." 16. **ne** : when the verb of the first term of a comparison is affirmative, the expletive **ne** must precede the verb of the second term. Omit in translation. 19. **nous ... nouvelle** : freely, *we now go about medicine in an entirely new way.* For the agreement of **toute**, see note to line 14, page 14. 23. **Il n'y ... mal** : *There is no harm done at all.* 28. **lui** : see note to line 3, page 43.

PAGE **127**, 1. **qui fait parler** : *which makes one speak.* 21. **à cela** = **à faire cela.**

PAGE **129**, 4. **que** : see note to line 3, page 92. 14. **bien de la peine** : *a lot of trouble.* See note to line 8, page 34.

PAGE **130**, 15. **Laissez-moi faire** : freely, *Leave it to me.*

18. **lui** : see note to line 3, page 43.   25. **Vous ne sauriez croire** : *You cannot imagine.*

Page **131**, 6. **qu'on ... sorte** : freely, *don't let him go out.* 10. **que j'ai eu de peine** : *what trouble I had!* 11. **un peu** : see note to line 21, page 125.   26. **que je ne** = **avant que** or **jusqu'à ce que**, *until.*

Page **132**, 18. **Je l'ai échappé belle** : *I had a narrow escape.*

# VOCABULARY

## ABBREVIATIONS

| | |
|---|---|
| *adj.*, adjective | *intr.*, intransitive |
| *adv.*, adverb | *m.*, masculine |
| *art.*, article | *n.*, noun |
| *coll.*, colloquial | *num.*, numeral |
| *cond.*, conditional | *part.*, participle |
| *conj.*, conjunction | *pers.*, personal |
| *def.*, definite | *pl.*, plural |
| *dem.*, demonstrative | *poss.*, possessive |
| *excl.*, exclamation | *prep.*, preposition |
| *f.*, feminine | *pres.*, present |
| *fut.*, future | *pron.*, pronoun |
| *impers.*, impersonal | *recip.*, reciprocal |
| *impf.*, imperfect | *refl.*, reflexive |
| *impv.*, imperative | *rel.*, relative |
| *ind.*, indicative | *sing.*, singular |
| *indef.*, indefinite | *subj.*, subjunctive |
| *interr.*, interrogative | *tr.*, transitive |

NOTES. — (*a*) When the final consonant of an adjective changes to form the feminine, the feminine ending is given back to the last consonant. *Example:* **curieux, –ieuse; premier, –ière; attentif, –ive.**

(*b*) Christian names and surnames have been omitted except a few that have an English equivalent.

(*c*) Infinitives of irregular verbs are followed by the principal parts, and if the verb is very irregular, by the future and the present subjunctive as well.

# VOCABULARY

## A

**a**, *m.*, a (*first letter of the alphabet*).
**a**, *pres. ind. of* **avoir**.
**à**, *prep.*, to, at, in, into, on, for, from, by.
**s'abandonner**, *refl.*, to give oneself over (into), trust.
**abasourdi, -e**, *past part.*, stunned.
**l'abîme**, *m.*, abyss.
**l'abord**, *m.*, access; d'—, at first, first.
**aboyer**, *intr.*, to bark.
**abreuver**, *tr.*, to water, soak.
**s'abriter**, *refl.*, to shelter oneself, shade oneself.
**abruti, -e**, *past part.*, stupefied, speechless.
**l'absence**, *f.*, absence.
**absent, -e**, *adj.*, absent.
**l'absent**, *m.*, absentee.
**absolu, -e**, *adj.*, absolute, perfect.
**absolument**, *adv.*, absolutely.
**abuser**, *intr.*, to abuse, take unfair advantage of.
**accabler**, *tr.*, to overwhelm.
**l'accent**, *m.*, accent, voice.
**accepter**, *tr.*, to accept.
**l'accident**, *m.*, accident.
**l'acclamation**, *f.*, shout, cheering.
**acclamer**, *tr.*, to acclaim, cheer.
**accompagner**, *tr.*, to accompany, join.
**l'accord**, *m.*, agreement; d'—, agreed; être d'—, to agree.
**accourir** (**accourant, accouru, j'accours, j'accourus**), *intr.*, to run up, hasten.
**acheter**, *tr.*, to buy.
**achever**, *tr.*, to finish, end.
**l'acte**, *m.*, act.
**actif, -ive**, *adj.*, active.
**l'action**, *f.*, action, movement.
**active**, *f. of* **actif**.
**l'adieu**, *m.*, farewell, good-by.
**admirable**, *adj.*, admirable.
**l'admirateur**, *m.*, admirer.
**admirer**, *tr.*, to admire.
**adopter**, *tr.*, to adopt.
**adorable**, *adj.*, adorable.
**adorer**, *tr.*, to worship, be very fond of; *intr.*, to worship.
**l'adresse**, *f.*, skill.
**adresser**, *tr.*, to send; s'—, to address oneself, speak, apply.
**l'adversaire**, *m.*, adversary, opponent.

**adverse,** *adj.*, adverse, opposite.
**adynamique,** *adj.*, adynamic.
**s'affaiblir,** *refl.*, to grow weak.
**l'affaire,** *f.*, affair, business, story, transaction, cause, case, scrape.
**affecter,** *tr.*, to feign.
**l'affection,** *f.*, affection, love, love affair; disease.
**affirmatif, -ive,** *adj.*, affirmative.
**affirmativement,** *adv.*, affirmatively.
**affliger,** *tr.*, to afflict.
**affreux, -euse,** *adj.*, frightful, horrible.
**affront,** *m.*, affront, insult.
**afin de,** *prep.*, in order to; — **que,** *conj.*, in order that, so that.
**l'âge,** *m.*, age, time; **jeune —,** boyhood.
**agité, -e,** *past part.*, agitated, excited, uneasy.
**agiter,** *tr.*, to agitate, wave.
**l'agneau,** *m.*, lamb.
**agréable,** *adj.*, agreeable.
**l'agréable,** *m.*, pleasure.
**l'agrément,** *m.*, charm; talent d'—, accomplishment.
**ah!** *excl.*, ah! — **bah!** is that so? you don't say; — **çà,** well! say! by the way.
**ahuri, -e,** *past part.*, astounded, bewildered.

**ai,** *pres. ind. of* **avoir.**
**l'aide,** *f.*, aid, help.
**aider,** *tr.*, to aid, help.
**aie,** *impv. and pres. subj. of* **avoir.**
**l'aïeul,** *m.*, grandfather; *pl.*, **aïeuls,** grandfathers; *pl.*, **aïeux,** ancestors.
**aille,** *pres. subj. of* **aller.**
**ailleurs,** *adv.*, elsewhere; d'—, besides, moreover.
**aimable,** *adj.*, amiable, kind.
**aimant, -e,** *adj.*, loving, affectionate.
**aimer,** *tr.*, to like, love; **s'—,** to love each other.
**l'aîné,** *m.*, elder.
**ainsi,** *adv.*, so, thus, the way.
**l'air,** *m.*, air; **avoir l'—,** to seem, look, look as if; **en avoir l'—,** to look like it.
**aise,** *adj.*, glad; **bien —,** very glad, very happy.
**l'aise,** *f.*, ease.
**aisé, -e,** *adj.*, easy.
**aisément,** *adv.*, easily.
**ait,** *pres. subj. of* **avoir.**
**ajouter,** *tr.*, to add.
**alarmé, -e,** *past part.*, alarmed.
**l'aliénation,** *f.*, alienation; — **mentale,** insanity.
**l'aliéné,** *m.*, insane person, lunatic.
**l'aliéniste,** *m.*, specialist in mental diseases.
**l'allégresse,** *f.*, joy.
**allemand, -e,** *adj.*, German.

## Vocabulary 155

**aller** (allant, allé, je vais, j'allai, j'irai, j'aille), *intr.*, to go, be becoming; **s'en —**, to go away, go.

**allonger**, *tr.*, to stretch out; **— un coup de pied**, to give a kick.

**allons!** *excl.*, come; well; all right!

**alors**, *adv.*, then.

**l'alphabet**, *m.*, alphabet.

**alphabétique**, *adj.*, alphabetical.

**l'Alsace**, *f.*, Alsace.

**alsacien, -ne**, *adj.*, Alsatian.

**l'altitude**, *f.*, altitude.

**l'amabilité**, *f.*, kindness.

**l'amaurose**, *f.*, amaurosis.

**l'ambition**, *f.*, ambition.

**l'âme**, *f.*, soul.

**l'amélioration**, *f.*, improvement.

**amener**, *tr.*, to bring.

**l'ami**, *m.*, friend; **mon —**, dear; **chambre d'—**, guest room.

**l'amie**, *f.*, friend; **bonne —**, sweetheart.

**l'amitié**, *f.*, friendship; *pl.*, regards.

**l'amour**, *m.*, love; **pour l'— de Dieu**, for God's sake.

**amoureusement**, *adv.*, lovingly.

**amoureux, -euse**, *adj.*, in love.

**l'amoureux**, *m.*, suitor.

**amusant, -e**, *adj.*, amusing, funny.

**l'amusement**, *m.*, amusement, enjoyment, fun.

**amuser**, *tr.*, to amuse, entertain; **s'—**, to amuse oneself, have a good time, enjoy oneself.

**l'an**, *m.*, year.

**André**, Andrew.

**l'âne**, *m.*, donkey, jackass.

**l'anecdote**, *f.*, anecdote.

**l'animal**, *m.*, animal, fool.

**l'anneau**, *m.*, (wedding) ring.

**l'année**, *f.*, year.

**annoncer**, *tr.*, to announce, inform.

**l'annulaire**, *m.*, ring-finger.

**l'antichambre**, *f.*, anteroom.

**anxieusement**, *adv.*, anxiously.

**août** (*pronounce as if spelled* **ou**), *m.*, August.

**apaiser**, *tr.*, to appease, quiet.

**apercevoir** (apercevant, aperçu, j'aperçois, j'aperçus), *tr.*, to perceive, see; **s'—**, to notice.

**aperçoit**, *pres. ind. of* **apercevoir**.

**apparent, -e**, *adj.*, apparent, seeming.

**l'appartement**, *m.*, apartment.

**l'appel**, *m.*, call, roll call; **— nominal**, roll call.

**appeler**, *tr.*, to call; **en —**, to appeal; **s'—**, to be called;

comment t'appelles-tu? what is your name?

**applaudir**, *tr.*, to applaud.

**l'applaudissement**, *m.*, applause.

**appliquer**, *tr.*, to apply, put.

**apporter**, *tr.*, to bring, apply.

**apprendre** (apprenant, appris, j'apprends, j'appris, j'apprendrai, j'apprenne), *tr.*, to learn, teach, inform.

**apprenez**, *pres. ind. and impv.*; **apprennent**, *pres. ind. of* apprendre.

**l'apprenti**, *m.*, apprentice, pupil.

**appris, -e**, *past part. of* apprendre.

**s'approcher**, *refl.*, to draw near, come nearer.

**approuver**, *tr.*, to approve of.

**appuyer**, *tr.*, to support, second; **s'—**, to lean.

**après**, *prep.*, after, about.

**l'arbre**, *m.*, tree.

**arche** = marche.

**ardent, -e**, *adj.*, ardent, fervid.

**l'argent**, *m.*, silver, money.

**l'aridité**, *f.*, barrenness.

**l'arme**, *f.*, arm, weapon; **—s à feu**, firearms; **aux —s!** to arms!

**l'armée**, *f.*, army.

**armer**, *tr.*, to cock.

**arrêter**, *tr.*, to arrest, stop; **s'—**, to stop.

**l'arrivée**, *f.*, arrival.

**arriver**, *intr.*, to arrive.

**l'arsenal**, *m.*, arsenal.

**l'artiste**, *m.*, artist.

**as**, *pres. ind. of* avoir.

**l'ascenseur**, *m.*, elevator.

**l'asile**, *m.*, asylum.

**asseoir** (asseyant *or* assoyant, assis, j'assieds *or* j'assois, j'assis, j'assiérai, j'asseyerai *or* j'assoirai, j'asseye *or* j'assoie), *tr.*, to seat; **s'—**, to sit down.

**asseyant**, *pres. part. of* asseoir.

**assez**, *adv.*, enough, rather.

**assied**, *pres. ind. of* asseoir.

**l'assiette**, *f.*, plate.

**assis, -e**, *past part. of* asseoir.

**l'assistance**, *f.*, help.

**assommer**, *tr.*, to beat to death.

**assurément**, *adv.*, assuredly, certainly.

**assurer**, *tr.*, to assure; **s'—**, to make sure.

**l'astiquage**, *m.*, equipment.

**l'atelier**, *m.*, studio.

**attacher**, *tr.*, to fasten, tie.

**atteindre** (atteignant, atteint, j'atteins, j'atteignis), *tr.*, to attain, reach, strike.

**atteint, -e**, *past part.*, stricken.

**attenant, -e**, *adj.*, next.

**attendre**, *tr.*, to await, wait for.

**attendri, -e**, *past part.*, moved, affected.

**attentif, -ive**, *adj.*, attentive.

l'attention, *f.*, attention.
l'attitude, *f.*, attitude.
attraper, *tr.*, to catch.
attribuer, *tr.*, to attribute, assign.
aucun, -e, *adj. or pron.*, any, no; none.
aucunement, *adv.*, not at all, by no means.
l'audace, *f.*, audacity.
l'audience, *f.*, audience, court.
aujourd'hui, *adv.*, to-day.
auprès de, *prep.*, near, close to.
auquel, *rel. pron.*, to which.
aura, aurai, *fut.*; auraient, aurais, *cond.*; aurons, *fut. of* avoir.
l'aurore, *f.*, dawn.
aussi *adv.*, also, too, as; — ... que, as ... as; *conj.*, so, that is why.
autant, *adv.*, as much, as many, the same.
l'auteur, *m.*, author.
l'automne, *m.*, fall.
autour de, *prep.*, around, about.
autre, *adj.*, other, else; — chose, *m.*, anything else; quelqu'un d'—, somebody else.
autrefois, *adv.*, formerly.
autrement, *adv.*, otherwise, differently.
avancer, *intr.*, to advance; s'—, to advance, come forward.

avant, *prep.*, before; — de (+ *inf.*), before; en —, forward.
avec, *prep.*, with.
avertir, *tr.*, to inform, warn, call.
aveugle, *adj.*, blind.
l'avis, *m.*, opinion; à mon —, in my opinion.
aviver, *tr.*, to increase.
l'avocat, *m.*, lawyer.
l'avoine, *f.*, oats.
avoir (ayant, eu, j'ai, j'eus, j'aurai, j'aie), *tr.*, to have; qu'as-tu? what's the matter with you? qu'avez-vous? what ails you? il y a, there is *or* there are; qu'y a-t-il *or* qu'est-ce qu'il y a? what is there? what's the matter? il y a un an, a year ago.
avouer, *tr.*, to confess.
avril, *m.*, April.
ayant, *pres. part.*; ayez, *impv. or pres. subj. of* avoir.
l'azur, *m.*, azure.

## B

la bagatelle, trifle.
la bague, ring.
bah! *excl.*, pshaw, nonsense; ah —! is that so? you don't say.
bâiller, *intr.*, to yawn.
la baïonnette, bayonet.
le baiser, kiss.
baiser, *tr.*, to kiss.

**baisser**, *tr.*, to lower, cast down; **se —**, to stoop.
**le bal**, ball, dance.
**le balai**, broom.
**balancer**, *tr.*, to swing, rock; **se —**, to sway, swing.
**le balanceur**, tosser.
**balbutier**, *intr.*, to stammer.
**la balle**, ball.
**le ban**, clapping of hands.
**bander**, *tr.*, to bind; **— les yeux**, to blindfold.
**la bandoulière**, shoulder belt; **en —**, over one's shoulder.
**la banque**, bank.
**la banquette**, upholstered bench.
**la baraque**, shanty, hovel.
**le barbouilleur**, dauber.
**barrer**, *tr.*, to bar, block.
**bas, -se**, *adj.*, low; **à voix —se**, in an undertone.
**le bas**, bottom, lower part; **en —**, downstairs.
**bas**, *adv.*, low, whispering; **là- —**, yonder, over there.
**bat**, *pres. ind. of* **battre**.
**la bataille**, battle.
**le bataillon**, battalion.
**bâtir**, *tr.*, to build.
**le bâton**, stick.
**battre** (**battant, battu, je bats, je battis**), *tr.*, to beat, strike; **— un ban**, to clap one's hands; **— le briquet**, to strike the flint; **se —**, to fight, fight a duel.

**bavard, -e**, *adj.*, talkative, loquacious, gossiping.
**le bazar**, cheap store.
**bé . . . é . . .**, *onomatopœia imitating the bleating of sheep.*
**beau, bel, belle**, *adj.*, beautiful, fine, handsome; **il fait —**, the weather is fine.
**beaucoup**, *adv.*, much, many, a good deal, a lot.
**le beau-père**, father-in-law.
**le bébé**, baby.
**le bélître**, rascal, scamp.
**belle**, *f. of* **beau**.
**la belle-mère**, mother-in-law.
**bénir**, *tr.*, to bless.
**le berceau**, cradle.
**le berger**, shepherd.
**la bergerie**, sheepfold.
**le besoin**, need, want; **avoir — de**, to need.
**la bête**, beast; **—s à laine**, sheep.
**beugler**, *intr.*, to moo.
**bien**, *adv.*, well, much, very, certainly, indeed, all right; *adj.*, well dressed; **— que**, *conj.*, although.
**le bien**, good, property.
**bientôt**, *adv.*, soon.
**le bienvenu**, welcome.
**le billet**, bill, note; **— de banque**, bank note.
**Biribi**, *an imaginary place somewhere in Africa for unruly soldiers.*

# Vocabulary

**bis** (*sound the* **s**), *adv.*, twice, a second time.
**bizarre**, *adj.*, odd, strange.
**blanc, blanche**, *adj.*, white.
**le blanc**, white color, whiteness.
**blanche**, *f. of* **blanc**.
**le blé**, wheat.
**blesser**, *tr.*, to wound.
**bleu, -e**, *adj.*, blue.
**le bleu**, blue color; recruit; **espèce de —**, you rookie.
**le bleuet** (*also spelled* **bluet**), *m.*, cornflower.
**blond, -e**, *adj.*, blond, fair, light-colored, golden.
**boire** (**buvant, bu, je bois, je bus**), *tr.*, to drink.
**le bois**, wood, forest.
**bois, boit**, *pres. ind. of* **boire**.
**la boîte**, box.
**bon, -ne**, good, kind.
**le bonbon**, candy.
**le bond**, bound, leap.
**bondir**, *intr.*, to bound, leap.
**le bonheur**, happiness, luck, great pleasure, good fortune.
**le bonhomme**, simple, easy man; old fellow.
**le bonjour**, good morning, good day.
**bonne**, *f. of* **bon**.
**la bonne**, servant.
**le bonnet**, bonnet, hat, cap; **— grec**, traveling cap, skull cap.

**le bonsoir**, good evening, good night.
**la bonté**, kindness.
**le bord**, border, edge, brim.
**boriqué, -e**, *adj.*, boricated.
**la bosse**, hump (*in the back*).
**bossu, -e**, *adj.*, hunchbacked.
**la botte**, boot.
**la bouche**, mouth.
**boucher**, *tr.*, to stop; **se — les oreilles**, to stop one's ears.
**le boucher**, butcher.
**bouclé, -e**, *adj.*, curly.
**bouger**, *intr.*, to move, stir.
**le boulevard**, boulevard.
**bouleverser**, *tr.*, to upset, turn topsy turvy.
**le bouquet**, bunch.
**le bourgeois**, commoner.
**le bourgeron**, fatigue coat.
**la bourrasque**, squall, shower.
**la bourse**, purse.
**le bout**, end.
**la bouteille**, bottle.
**braire**, *intr.*, to bray.
**la branche**, branch.
**braquer**, *tr.*, to point.
**le bras**, arm.
**brave**, *adj.*, brave, good.
**le brave**, brave man.
**bravo**, *adv.*, bravo, good for you.
**la bravoure**, bravery.
**bref, brève**, *adj.*, brief, short.
**breton, -ne**, *adj.*, Breton, of Brittany (*a former French province*).

la **Bretonne**, girl from Brittany.
**brève**, *f. of* **bref**.
le **brigand**, brigand, bandit.
la **brimade**, hazing.
**brimer**, *tr.*, to haze.
le **briquet**, flint.
**briser**, *tr.*, to break, smash.
**broder**, *intr.*, to embroider.
**broncher**, *intr.*, to stumble, flinch.
la **brosse**, brush.
le **bruit**, noise.
**brusquement**, *adv.*, sharply, gruffly.
le **brutal**, brute.
la **brute**, brute.
le **bulletin**, ballot; — **de vote**, ballot paper.
le **bureau**, desk, office; **membres du —**, executive officers.
le **but**, aim, purpose.
le **butor**, bittern (*bird of the heron family*); brute.

## C

**c'** = **ce**, *dem. pron.*
**ça** = **cela**.
**çà**, *adv.*, here; **ah —**! well; well, now.
la **cabane**, small cottage, hut.
le **cabas**, bag.
le **cabinet**, office.
**cacher**, *tr.*, to hide, conceal; **se —**, to hide, conceal oneself.
le **cadeau**, present, gift.
le **café**, coffee.
la **cafetière**, coffee pot.
la **cage**, cage.
la **caisse**, box.
**calmer**, *tr.*, to calm, quiet; **se —**, to calm oneself, compose oneself.
la **calotte**, skull cap, traveling cap.
le *or* la **camarade**, comrade, classmate.
la **campagne**, country, field.
la **campanella**, *an imaginary flower.*
le **cancer**, cancer.
le **candidat**, candidate.
la **canne**, cane.
le **canon**, cannon, barrel (*of a gun*); **baïonnette au —**, fixed bayonet.
la **cantine**, canteen.
**capable**, *adj.*, capable, able.
le **capitaine**, captain.
la **capitale**, capital.
le **caporal**, corporal.
**car**, *conj.*, for, because.
la **carabine**, rifle.
le **caractère**, character.
le **carnet**, notebook.
le **carré**, square.
la **carrière**, career; **entrer dans la —**, to enter the lists.
la **carte**, card, map.
le **cas**, case.
**casser**, *tr.*, to break.

# Vocabulary

**la cause**, cause; à — de, on account of.
**causer**, *tr.*, to cause; *intr.*, to speak, chat.
**cave**, *adj.*, hollow; **la veine** —, vena cava.
**ce, cet, cette, ces**, *dem. adj.*, this, that; these, those.
**ce**, *dem. pron.*, that, it, he, she, they; — **qui** (*subject*), — **que** (*object*), what.
**ceci**, *dem. pron.*, this.
**la cécité**, blindness.
**céder**, *tr.*, to give up, let have; *intr.*, to yield.
**cela**, *dem. pron.*, that.
**célèbre**, *adj.*, celebrated, renowned.
**le célibataire**, bachelor.
**celle**, *f. of* **celui**.
**celui, celle; ceux, celles**, *dem. pron.*, that, the one, he, she; they, those; — **-ci**, this one, these; — **-là**, that one, those.
**cent**, *num. adj.*, hundred.
**le centimètre**, centimeter, 0.3937 *inch*.
**cependant**, *adv.*, however, yet.
**le cercle**, circle, club.
**le cercueil**, coffin, grave.
**cérémonieusement**, *adv.*, ceremoniously.
**la cerise**, cherry.
**certain, -e**, *adj.*, certain, sure, some.
**certainement**, *adv.*, certainly.
**le cerveau**, brain.
**la cervelle**, brain.
**ces**, *pl. of* **ce**, *adj.*
**cesser**, *intr.*, to cease, stop.
**cet, cette**, *see* **ce**, *adj.*
**ceux**, *pl. of* **celui**.
**chacun, -e**, *pron.*, each, every one.
**la chaise**, *f.*, chair.
**le châle**, shawl.
**le chalet**, cottage.
**la chaleur**, heat.
**la chambre**, room.
**la chambrée** (*mil.*), sleeping quarters.
**le champ**, field.
**la chance**, luck.
**la chandelle**, candle.
**changer**, *tr.*, to change, transform; **se** —, to change, be converted.
**la chanson**, song.
**chanter**, *tr.*, to sing; (*coll.*), to talk nonsense; *intr.*, to crow.
**le chapeau**, hat; **en** —, wearing a hat.
**chaque**, *adj.*, each, every.
**la charade**, charade, riddle.
**charger**, *tr.*, to load, intrust.
**charitable**, *adj.*, charitable.
**la charité**, charity; **faire la** —, to give alms.
**le charlatan**, quack.
**charmant, -e**, *adj.*, charming.
**chasser**, *tr.*, to chase, expel, discharge, hunt.

le chasseur, hunter.
le chat, cat.
chaud, -e, *adj.*, warm.
la chaumine, thatched cottage.
le chemin, way, road.
cheminer, *intr.*, to walk.
cher, chère, *adj.*, dear.
cher, *adv.*, dear, much.
chercher, *tr.*, to search, look for, try; aller —, to go and get, go and call; envoyer —, to send for; — querelle, to pick a quarrel.
chéri, -e, *adj.*, beloved.
le cheval, horse; à —, on horseback.
les cheveux, *m. pl.*, hair.
chevrotant, -e, *adj.*, tremulous.
chez, *prep.*, at, to *or* in the house of; at, to; — le fleuriste, into the florist's shop; — lui, at home, to his office; — moi, home, in me; — qui, in whose house; — toi, in your house; — la voisine, to the neighbor's; — vous, to your address.
le chien, dog.
le chœur (*sound* ch *like* k), chorus.
choisir, *tr.*, to choose, select.
le choix, choice.
choquer, *tr.*, to shock, surprise greatly.

la chose, thing; autre —, *m.*, anything else; ne . . autre — que, nothing else but; quelque —, *m.*, something.
le chou, cabbage; aux —x, with cabbage.
la chouette, common brown owl; *used adjectively* (*coll.*), very fine.
chut (*sound the* t), *excl.*, hush.
la chute, fall.
ci, *adv.*, here; —-inclus, herewith inclosed; ce . . .- —, this; celui- —, this one.
Cicéron, Cicero, *the great Roman orator.*
le cidre, cider.
le ciel (*pl.*, cieux), heaven, sky.
le cigare, cigar.
cinq, *num. adj.*, five.
cinquante, *num. adj.*, fifty.
la circonstance, circumstance; de —, composed for the occasion.
la citation, quotation.
le citoyen, citizen.
le civil, civilian.
la civilisation, civilization.
la civilité, civility, attention.
clair, -e, *adj.*, clear, bright.
le clair de lune, moonlight; au — de la lune, by moonlight.
clamer, *intr.*, to yell.
la clameur, outcry.
la clarté, light.

la **classe**, class.
la **clavelée**, tag sore (*a pustular disease of sheep, somewhat resembling smallpox*).
le **clerc**, divinity student.
le **client**, la **cliente**, patient.
**cligner**, *intr.*, to wink.
le **clin**, wink; — d'œil, twinkling of an eye.
la **cloche**, (*dinner*) bell.
**cloche-pied**: à —, on one foot, hopping.
le **clou**, nail; **maigre comme un** —, as thin as a lath.
le **cochon**, pig.
le **cœur**, heart.
le **coin**, corner.
la **coïncidence**, coincidence.
le **col**, collar.
la **colère**, anger; en —, angry.
le **colis**, package.
le **collège**, college.
le **collègue**, colleague.
le **colonel**, colonel.
la **colonne**, column.
**combattre** (combattant, combattu, je combats, je combattis), *intr.*, to fight.
**combien**, *adv.*, how much, how many.
la **combinaison**, combination, plan.
le **comble**, highest degree.
**combler**, *tr.*, to crown, fulfill.
la **comédie**, comedy, play.
le **comité**, committee.
le **commandant**, major.

**commander**, *tr.*, to command, order.
**comme**, *adv.*, as, like, as if, how; *conj.*, as.
le **commencement**, beginning.
**commencer**, *tr.*, to begin.
**comment**, *adv.*, how; *excl.*, what.
le **commissaire**, captain of police.
**commun**, -**e**, *adj.*, common, general.
la **communication**, communication.
la **compagne**, companion, classmate; **vos** —**s**, your women folks.
la **compagnie**, company.
la **comparaison**, comparison.
**comparaître**, *intr.*, to appear.
le **compartiment**, compartment.
**compenser**, *tr.*, to compensate.
le **compère**, crony, fellow.
**complet**, -**ète**, *adj.*, complete.
le **compliment**, compliment.
**se compliquer**, *refl.*, to become complicated.
**composer**, *tr.*, to compose.
**comprendre** (comprenant, compris, je comprends, je compris, je comprendrai, je comprenne), *tr.*, to understand.
la **compresse**, compress.
**compris**, -**e**, *past part.* of **comprendre**.

**le compte**, account.
**compter**, *tr.*, to count, intend; **se —**, to form a group.
**le concierge**, janitor.
**conclure** (**concluant, conclu, je conclus, je conclus**), *tr.*, to conclude.
**condamner**, *tr.*, to condemn.
**condescendre**, *intr.*, to condescend.
**conduire** (**conduisant, conduit, je conduis, je conduisis**), *tr.*, to conduct, lead.
**la conduite**, behavior.
**confesser**, *tr.*, to confess.
**la confiance**, confidence, trust.
**confidentiellement**, *adv.*, confidentially.
**confier**, *tr.*, to confide, intrust, tell in confidence.
**confortablement**, *adv.*, comfortably.
**confus, –e**, *adj.*, confused, abashed.
**la confusion**, *f.*, confusion.
**le congé**, holiday; **donner —**, to let off.
**congédier**, *tr.*, to dismiss.
**conjurer**, *tr.*, to avert.
**la connaissance**, acquaintance.
**connaître** (**connaissant, connu, je connais, je connus**), *tr.*, to know, become *or* be acquainted with; **se —**, to know each other.
**consacrer**, *tr.*, to devote.

**le conseil**, advice.
**conseiller**, *tr.*, to advise.
**consentir** (**consentant, consenti, je consens, je consentis**), *intr.*, to consent.
**la consigne** (*mil.*), orders, punishment.
**consigné**, *past part.* (*mil.*), in confinement, confined to barracks (*as a punishment*).
**le consigné**, soldier confined to barracks.
**consigner**, *tr.* (*mil.*), to confine.
**consister**, *intr.*, to consist.
**la consolation**, consolation.
**la consonne**, consonant.
**constamment**, *adv.*, constantly.
**constant, –e**, *adj.*, constant.
**la consultation**, consultation.
**consulter**, *tr.*, to consult, look at; **se —**, to confer.
**contempler**, *tr.*, to contemplate, gaze at.
**contenir** (**contenant, contenu, je contiens, je contins, je contiendrai, je contienne**), *tr.*, to contain.
**content, –e**, *adj.*, pleased.
**le contenu**, contents.
**contient**, *pres. ind. of* **contenir**.
**continu, –e**, *adj.*, continuous.
**continuer**, *tr. and intr.*, to continue; **se —**, to continue, be continued.

# Vocabulary

**contraindre** (contraignant, contraint, je contrains, je contraignis), *tr.*, to compel.
**contraire**, *adj.*, contrary.
**le contraire**, contrary.
**contre**, *prep.*, against.
**contribuer**, *intr.*, to contribute.
**convaincre** (convainquant, convaincu, je convaincs, je convainquis), *tr.*, to convince.
**convenir** (convenant, convenu, je conviens, je convins), *intr.*, to agree, suit, acknowledge, admit.
**la conversation**, conversation.
**le coq**, rooster.
**le coquelicot**, corn poppy.
**le coquin**, rascal.
**le corbeau**, crow.
**le cordon**, string; **tirer le —**, to open the door.
**le cordonnier**, shoemaker.
**la cornette**, cap.
**correctionnel**, -le, *adj.*, relative to misdemeanor; **en police —le**, in police court.
**le cortège**, procession.
**le costume**, dress, garb.
**le côté**, side, direction; **à —**, next house; **à — de**, *prep.*, beside; **du —**, in the direction; **de l'autre —**, on the other side; **de tous —s** *or* **de tous les —s**, on all sides.
**le coteau**, hillock.
**le coude**, elbow.
**coudre** (cousant, cousu, je couds, je cousis), *intr.*, to sew.
**la couleur**, color, shade.
**la coulisse**, groove; **dans la —**, behind the scenes.
**le couloir**, narrow passage.
**le coup**, blow, draught; (*fire-arms*) report, shot; **— de pied**, kick; **boire un —**, to have a drink; **du premier —**, immediately, at once; **tout d'un —**, all of a sudden.
**couper**, *tr.*, to cut, chop.
**le couplet**, couplet, stanza.
**la cour**, court.
**le courage**, courage.
**le courant**, current; **être au — de**, to be acquainted with.
**courbé**, -e, *past part.*, bent.
**courir** (courant, couru, je cours, je courus, je courrai, je coure), *intr.*, to run, flow swiftly.
**couronné**, -e, *past part.*, crowned.
**cours**, court, *pres. ind. of* **courir**.
**court**, -e, *adj.*, short.
**le cousin, la cousine**, cousin.
**cousu**, -e, *past part. of* **coudre**.
**le couteau**, knife.
**coûter**, *intr.*, to cost; **coûte que coûte**, at any cost.
**la coutume**, custom, practice.

le **couvent**, convent.
le **couvert**, cover; **mettre le —**, to set the table.
**couvert, -e**, *past part. of* **couvrir**.
la **couverte** (*mil.*), blanket.
la **couverture**, blanket.
**couvrir** (**couvrant, couvert, je couvre, je couvris**), *tr.*, to cover; **se —**, to cover oneself, be covered.
la **craie**, chalk.
**craigne**, *pres. subj. of* **craindre**.
**craindre** (**craignant, craint, je crains, je craignis**), *tr.*, to fear.
la **crainte**, fear.
le **craquement**, sharp noise.
le **crayon**, pencil.
**créer**, *tr.*, to create, give.
la **crème**, cream.
le **cri**, cry.
**criard, -e**, *adj.*, shrill.
**crier**, *intr.*, to cry, cry out, shout.
le **crime**, crime.
la **critique**, criticism.
**croasser**, *intr.*, to croak.
le **croc**, hook; **en —**, curled up.
**croire** (**croyant, cru, je crois, je crus**), *tr.*, to believe; **se —**, to believe one is.
**croit**, *pres. ind. of* **croire**.
la **croix**, cross.
**croquer**, *tr.*, to crunch, eat.
**croyant**, *pres. part.*; **croyez**, *pres. ind. and impv. of* **croire**.
**cru, -e**, *past part. of* **croire**.
la **cruauté**, cruelty.
**cruel, -le**, *adj.*, cruel.
**cruellement**, *adv.*, cruelly, unkindly.
le **cuirassier**, cuirassier, mounted soldier wearing a cuirass.
la **cuisine**, kitchen, cooking.
le **cultivateur**, farmer.
la **cure**, cure, healing.
**curieux, -ieuse**, *adj.*, curious.

## D

**d'** = **de**.
**daigner**, *intr.*, to deign.
le **daim**, deer; (*coll.*) fool.
la **dame**, lady.
se **dandiner**, *refl.*, to strut.
le **danger**, danger.
**dans**, *prep.*, in, into.
la **danse**, dance, tossing.
**danser**, *intr.*, to dance.
la **danseuse**, dancing partner.
**dater**, *intr.*, to date.
**de**, *prep.*, of, from, to, by, with, about; some, any; **ne ... pas —**, not any, no.
**débarrasser**, *tr.*, to rid; **se —**, to get rid.
**débusquer**, *tr.*, to start.
**décembre**, *m.*, December.
**décidément**, *adv.*, decidedly.
**décider**, *tr.*, to decide; **se —**, to make up one's mind.

la déclamation, declamation.
déclamer, *tr.*, to declaim, recite.
déclarer, *tr.*, to declare, find.
le décor, scenery.
décoré, -e, *past part.*, decorated, wearing the insignia of.
décourageant, -e, *adj.*, discouraging.
dedans, *adv.*, within; là —, in it; with it.
se dédommager, *refl.*, to indemnify oneself, make up for it.
défendre, *tr.*, to forbid.
le défenseur, defender.
la déférence, deference.
défiler, *intr.*, to pass in single file.
le dégât, damage, waste.
le degré, degree.
déguiser, *tr.*, to disguise; se —, to disguise oneself, hide.
dehors, *adv.*, outside; au —, outside, from without.
déjà, *adv.*, already.
le délassement, relaxation, recreation.
la délibération, deliberation.
délicieux, -ieuse, *adj.*, delicious.
la délivrance, rescue.
délivrer, *tr.*, to free, rescue.
le déluge, deluge.
demain, *adv.*, to-morrow.
demander, *tr.*, to ask, ask for, beg.

le demandeur, plaintiff.
déménager, *intr.*, to move.
demeurer, *intr.*, to remain.
demi, -e, *adj.*, half.
la demi-heure, half hour.
le demi-siècle, half century.
le demi-tour, half turn; — à droite, about turn.
la demoiselle, young lady.
la dénégation, denial.
le départ, departure.
dépendre, *intr.*, to depend.
les dépens, *m. pl.*, expense; (*law*) costs.
dépenser, *tr.*, to spend.
déplier, *tr.*, to unfold, open.
déposer, *tr.*, to set down, lay down.
dépouiller, *tr.*, to strip, ascertain the result of (*a ballot*).
dépourvu, -e, *adj.*, devoid, without.
depuis, *prep.*, since, for; *adv.*, ever since; — que, *conj.*, since; — quand, how long.
déranger, *tr.*, to disturb.
dernier, -ière, *adj.*, last.
le dernier, last syllable, last part of a word.
derrière, *prep.*, behind.
des (de + les), *art.*, of the, from the; some, any.
dès, *prep.*, from; — ce soir, this very evening; — que, *conj.*, as soon as.
désappointé, -e, *past part.*, disappointed.

**descendre**, *intr.*, to descend, get off.
**désespéré, -e**, *adj.*, hopeless.
**le désespoir**, despair; **au —**, in despair.
**désigner**, *tr.*, to point out.
**le désir**, desire, wish.
**désirer**, *tr.*, to wish, desire.
**le désistement**, withdrawal.
**désolé, -e**, *adj.*, very sorry.
**le désordre**, disorder.
**le dessein**, design, plan; **à —**, purposely; **avoir —**, to intend.
**le dessert**, dessert.
**dessous**, *adv.*, under; **au** or **en —**, underneath, below; **là- —**, underneath, below.
**dessus**, *adv.*, on, upon; **là- —**, thereupon.
**la destination**, destination.
**la destinée**, destiny, fate.
**déterminé, -e**, *adj.*, determined.
**détestable**, *adj.*, very bad.
**détester**, *tr.*, to detest, dislike.
**le deuil**, mourning, grief.
**deux**, *num. adj.*, two, a few.
**deuxième**, *num. adj.*, second.
**devant**, *prep.*, before.
**développer**, *tr.*, to develop, treat.
**devenir (devenant, devenu, je deviens, je devins, je deviendrai, je devienne)**, *intr.*, to become.
**deviendrai**, *fut.*; **deviendrais**, *cond.*; **deviens, devient**, *pres. ind. of* **devenir**.
**la devinette**, riddle, verbal enigma.
**devoir (devant, dû, je dois, je dus, je devrai, je doive)**, *tr.*, to owe; *intr.*, to be obliged, must, should, have to, be to.
**le devoir**, duty.
**dévoué, -e**, *adj.*, devoted, true; **ton tout —**, Yours very truly.
**le dévouement**, devotion.
**devrais, devrait**, *cond. of* **devoir**.
**le dictionnaire**, dictionary.
**Dieu**, God; **mon —!** dear me! good gracious! well!
**la différence**, difference.
**différent, -e**, *adj.*, different, various.
**difficile**, *adj.*, difficult.
**la difficulté**, difficulty.
**digne**, *adj.*, worthy.
**diminuer**, *tr.*, to diminish, take off.
**dîner**, *intr.*, to dine.
**le dîner**, dinner.
**dire (disant, dit, je dis, je dis)**, *tr.*, to say, tell, bid; **vouloir —**, to mean; **se —**, to say to oneself.
**direct, -e**, *adj.*, direct.
**directement**, *adv.*, directly.
**la direction**, direction, management, running.

## Vocabulary

**se diriger,** *refl.,* to direct one's steps.
**dis,** *pres. ind., past def., and impv.* of **dire.**
**disais,** *impf. ind.* of **dire.**
**le discours,** speech.
**la discussion,** discussion, dispute.
**discuter,** *tr.,* to discuss, speak about.
**disent,** *pres. ind.* of **dire.**
**disparaître (disparaissant, disparu, je disparais, je disparus),** *intr.,* to disappear.
**disposer,** *tr.,* to dispose, arrange.
**la disposition,** disposition, mood; *pl.,* temper.
**la distance,** distance; **à —,** at a distance, aloof.
**la distinction,** distinction.
**distingué, –e,** *adj.,* distinguished.
**distraire (distrayant, distrait, je distrais,** *past def. missing),* *tr.,* to divert, entertain, amuse.
**distribuer,** *tr.,* to distribute.
**dit,** *pres. ind., past def., and past part.;* **dites,** *pres. ind. and impv.* of **dire.**
**divaguer,** *intr.,* to wander.
**divers, –e,** *adj.,* diverse, various.
**diviser,** *tr.,* to divide.
**dix,** *num. adj.,* ten; **— -huit,** *num. adj.,* eighteen.

**docile,** *adj.,* docile, obedient.
**le docteur,** doctor, physician.
**le doigt,** finger.
**dois, doit, doivent,** *pres. ind.* of **devoir.**
**le domestique,** servant, farm hand.
**le dommage,** damage; **quel —!** what a pity!
**donc,** *conj.,* then, therefore.
**donner,** *tr.,* to give, deal; **— audience,** to open the court; **— congé,** to let off; **— ses soins à,** to attend to, look after; *intr.,* to open; **se — la peine,** to take the trouble.
**dont,** *rel. pron.,* whose, of which, of whom, from which, from whom.
**dormir (dormant, dormi, je dors, je dormis),** *intr.,* to sleep.
**dort,** *pres. ind.* of **dormir.**
**le dos,** back.
**la dot** (*sound the* t), *f.,* dowry.
**double,** *adj.,* double.
**douce,** *f.* of **doux.**
**doucement,** *adv.,* softly, gently, slowly, quietly.
**la douceur,** sweetness, softness, gentleness.
**doué, –e,** *past part.,* gifted.
**la douleur,** grief.
**le doute,** doubt.
**douter,** *intr.,* to doubt; **se —,** to suspect.

# Vocabulary

**doux, douce,** *adj.,* sweet, mild, gentle, warm.
**douze,** *num. adj.,* twelve.
**le drapeau,** flag.
**droit, -e,** *adj.,* right.
**le droit,** right, claim.
**la droite,** right side.
**le drôle,** scoundrel, rogue.
**du (de + le),** *art.,* of the, from the; some, any.
**dû, due,** *past part. of* devoir; *also adj.,* due.
**le duel,** duel.
**la dupe,** victim.
**dur, -e,** *adj.,* hard.
**la durée,** duration.
**dus,** *pl. of* dû.

## E

**l'eau,** *f.,* water.
**ébranler,** *tr.,* to shake.
**l'échalas,** *m.,* prop.
**échapper,** *intr.,* to escape.
**l'écharpe,** *f.,* scarf, sash.
**l'échelle,** *f.,* ladder.
**l'éclat,** *m.,* fragment, shout; **avec —,** very loud; **rire aux —s,** to laugh heartily.
**éclater,** *intr.,* to burst, fly out, give vent to one's anger; **— de rire,** to burst out laughing.
**éclore** (*defective verb, past part.* **éclos, -e;** *pres. ind.* il éclôt, ils éclosent; *fut.* il éclora; *cond.* il éclorait; *pres. subj.* il éclose), *intr.,* to hatch, appear.

**l'école,** *f.,* school.
**l'écorce,** *f.,* bark.
**écouter,** *tr.,* to listen, listen to.
**s'écrier,** *refl.,* to exclaim.
**écrire** (écrivant, écrit, j'écris, j'écrivis), *tr.,* to write.
**l'écriture,** *f.,* writing; *pl.,* books.
**l'écurie,** *f.,* stable.
**effaré, -e,** *past part.,* extremely surprised.
**l'effarement,** *m.,* extreme stupefaction.
**l'effet,** *m.,* effect; **en —,** indeed.
**s'efforcer,** *refl.,* to endeavor, try.
**l'effort,** *m.,* effort.
**effrayer,** *tr.,* to frighten; **s'—,** to be frightened.
**l'effroi,** *m.,* fright.
**effroyable,** *adj.,* frightful.
**égal, -e,** *adj.,* equal.
**également,** *adv.,* equally, also.
**l'égalité,** *f.,* equality.
**l'égard,** *m.,* regard; **à votre —,** towards you.
**l'égarement,** *m.,* wildness (*of look*); **avec —,** as if distracted.
**l'égoïsme,** *m.,* selfishness.
**égorger,** *tr.,* to slay.
**eh,** *excl.,* ah; **— bien,** well, now.
**l'élan,** *m.,* enthusiasm; **avec —,** passionately.
**élastique,** *adj.,* rubber.
**l'élection,** *f.,* election.

# Vocabulary 171

l'électro - acoustico - galvanisme, *m.*, *an imaginary remedy.*

l'élève, *m. and f.*, pupil.

élever, *tr.*, to raise; **bien élevé(-e)**, well bred.

élire (élisant, élu, j'élis, j'élus), *tr.*, to elect.

elle, *f. pers. pron.*, she, her. it; *pl.*, they, them.

embarrasser, *tr.*, to embarrass, trouble.

embrasser, *tr.*, to embrace, kiss; **s'—**, to embrace each other.

emmitouflé, –e, *past part.*, wrapped up.

l'émotion, *f.*, emotion.

émouvant, –e, *adj.*, exciting.

émouvoir (émouvant, ému, j'émeus, j'émus, j'émouvrai, j'émeuve), *tr.*, to move.

empaqueter, *tr.*, to wrap.

l'empêchement, *m.*, impediment, obstruction.

empêcher, *tr.*, to prevent.

l'emphase, *f.*, emphasis.

l'emplette, *f.*, purchase.

emplir, *tr.*, to fill; **s'—**, to fill, be filled.

l'employé, employee.

employer, *tr.*, to employ, use.

emporter, *tr.*, to take away, take along; **s'—**, to fly into a passion, get angry.

emprisonné, –e, *past part.*, imprisoned, cooped up.

ému, –e, *past part. of* émouvoir.

en, *prep.*, in, into, while; **tout —**, while; *pron.*, of it, of them.

encore, *adv.*, yet, again; **— une fois** *or* **— un coup**, once more.

encourager, *tr.*, to encourage.

endormi, –e, *adj.*, asleep.

s'endormir (s'endormant, s'étant endormi, je m'endors, je m'endormis), *refl.*, to fall asleep.

s'endort, *pres. ind. of* s'endormir.

l'endroit, *m.*, place, spot.

endurant, –e, *adj.*, patient.

endurer, *tr.*, to endure, bear, put up with.

énergique, *adj.*, energetic.

énergiquement, *adv.*, energetically.

l'enfance, *f.*, childhood.

l'enfant, *m. and f.*, child.

enfermer, *tr.*, to shut, shut in, lock in.

enfin, *adv.*, finally, at last, in short, after all.

s'enfuir (s'enfuyant, s'étant enfui, je m'enfuis, je m'enfuis), *refl.*, to flee.

l'énigme, *f.*, enigma, riddle.

enlever, *tr.*, to remove, take away, carry away; **faire —**, to help in the elopement of.

**l'ennemi**, *m.*, enemy, foe.
**s'ennuyer**, *refl.*, to be bored, feel lonesome.
**énorme**, *adj.*, enormous, huge.
**enseigner**, *tr.*, to teach.
**ensemble**, *adv.*, together.
**ensemencer**, *tr.*, to sow (ground).
**ensuite**, *adv.*, afterwards, then.
**entendre**, *tr.*, to hear; **c'est entendu**, agreed; **s'—**, to come to an understanding.
**l'enthousiasme**, *m.*, enthusiasm.
**l'entier**, *m.*, whole thing.
**entièrement**, *adv.*, entirely, wholly.
**entre**, *prep.*, between, among.
**l'entrée**, *f.*, entrance, coming.
**entrer**, *intr.*, to enter.
**entretenir** (entretenant, entretenu, j'entretiens, j'entretins, j'entretiendrai, j'entretienne), *tr.*, to talk with.
**entretiendrai**, *fut.* of entretenir.
**l'enveloppe**, *f.*, envelope.
**envelopper**, *tr.*, to wrap, swathe.
**l'envie**, *f.*, envy, desire; **avoir — de**, to have a mind to, feel like.
**envoyer** (envoyant, envoyé, j'envoie, j'envoyai, j'enverrai, j'envoie), *tr.*, to send; **— chercher**, to send for.

**épatant, -e**, *adj.* (*coll.*), stunning.
**l'épaule**, *f.*, shoulder.
**l'épée**, *f.*, sword.
**épeler**, *tr.*, to spell.
**l'époque**, *f.*, time.
**épouser**, *tr.*, to marry, wed.
**l'épouvante**, *f.*, terror.
**épouvanter**, *tr.*, to terrify; **s'—**, to be terrified.
**l'époux**, *m.*, husband.
**épris, -e**, *past part.* of éprendre, smitten.
**l'épreuve**, *f.*, test, trial.
**éprouver**, *tr.*, to test, try.
**épuiser**, *tr.*, to exhaust, wear out.
**l'erreur**, *f.*, error, mistake.
**es**, *pres. ind.* of **être**.
**l'escouade**, *f.*, squad.
**l'escrimeur**, *m.*, fencer.
**l'espace**, *m.*, space.
**l'espèce**, *f.*, species, kind; **— de . . .**, you . . .
**l'espérance**, *f.*, hope.
**espérer**, *tr.*, to hope.
**l'espoir**, *m.*, hope.
**l'esprit**, *m.*, mind, intelligence, wit; **avoir de l'—**, to be witty.
**essayer**, *tr.*, to try.
**essoufflé, -e**, *past part.*, out of breath.
**essuyer**, *tr.*, to wipe; **s'— le front**, to wipe one's forehead.
**est**, *pres. ind.* of **être**.

l'estrade, *f.*, platform.
et, *conj.*, and.
l'étage, *m.*, story, floor.
l'étalage, *m.*, shop window.
Étampes, *a French town.*
l'état, *m.*, state, condition.
etc., *conj.*, et cetera, and so forth.
l'été, *m.*, summer.
été, *past part. of* être.
l'étendard, *m.*, standard, flag.
étendre, *tr.*, to stretch out.
éternel, –le, *adj.*, eternal, everlasting.
éternellement, *adv.*, eternally, forever.
éternuer, *intr.*, to sneeze.
êtes, *pres. ind. of* être.
étinceler, *intr.*, to glisten.
l'étiquette, *f.*, tag.
s'étirer, *refl.*, to stretch oneself out.
l'étoile, *f.*, star.
étonnant, –e, *adj.*, astonishing, wonderful.
étrange, *adj.*, strange, odd, queer.
l'étranger, *m.*, stranger.
étrangler, *tr.*, to choke.
être (étant, été, je suis, je fus, je serai, je sois), *intr.*, to be.
l'étrenne, *f.*, New Year's gift.
étriller, *tr.*, to curry, tan the hide of.
l'étudiant, *m.*, student.
eu, –e, *past part. of* avoir.

euh ! *excl.*, huh !
eus, *past def.* ; **eussiez, eût,** *impf. subj. of* avoir.
eux, *pers. pron.*, they, them.
évanoui, –e, *past part.*, fainting; être —, to have fainted, be unconscious.
s'évanouir, *refl.*, to faint.
s'éveiller, *refl.*, to awake.
l'éventail, *m.*, fan.
s'éventer, *refl.*, to fan oneself.
éviter, *tr.*, to avoid, do away with.
exagérer, *tr.*, to exaggerate.
examiner, *tr.*, to examine, look over, survey.
exaspéré, –e, *past part.*, exasperated, beside himself.
excellent, –e, *adj.*, excellent, kind.
excepté, *prep.*, except.
l'exclamation, *f.*, exclamation.
l'excuse, *f.*, excuse, apology.
s'excuser, *refl.*, to excuse oneself, apologize, exonerate oneself.
exécrable, *adj.*, very bad.
exécuter, *tr.*, to perform, carry out.
l'exemple, *m.*, example; **par** —, for instance.
exercer, *tr.*, to exercise, make use of.
l'exercice, *m.*, exercise.
exhiber, *tr.*, to display.
l'exigence, *f.*, requirement.
expirant, –e, *adj.*, dying.

l'explication, *f.*, explanation.
expliquer, *tr.*, to explain.
exprès, *adv.*, purposely.
expressément, *adv.*, expressly.
l'expression, *f.*, expression, term.
exprimer, *tr.*, to express; s'—, to express oneself.
extérieur, -e, *adj.*, exterior, outward.
extraordinaire, *adj.*, extraordinary, unusual.
extravagant, -e, *adj.*, extravagant.
extrême, *adj.*, extreme.

## F

la face, face; en —, face to face; en — de, *prep.*, opposite.
fâcher, *tr.*, to make angry.
facile, *adj.*, easy.
facilement, *adv.*, easily.
la façon, *f.*, fashion, manner; de la —, in that way, in such a way; de quelle —, in which way, how.
la faction, sentry; en —, on guard.
le fagot, fagot.
faible, *adj.*, feeble, weak, slight.
la faïence, china.
faille, *pres. subj. of* falloir.
la faim, hunger; avoir —, to be hungry; manger à sa —, to eat one's fill.

faire (faisant, fait, je fais, je fis, je ferai, je fasse), *tr.*, to do, make, cause, have, pay; (*weather*) be; — feu, to fire; — mal, to harm, hurt; — observer, to remind; — son paquet, to pack up one's traps; — partie de, to become a member of; — prier, to invite; — le tour de, to walk around; — un petit tour de, to take a short walk; se —, to make oneself, become, be done, happen, take place.
fais, *pres. ind. and impv.*; faisant, *pres. part.*; faisons, *pres. ind. and impv.*; fait, *pres. ind. and past part. of* faire.
le fait, fact, deed; au —, after all.
faites, *pres. ind. and impv. of* faire.
falloir (fallant, fallu, il faut, il fallut, il faudra, il faille), *impers.*, to be necessary, must.
fameux, -euse, *adj.*, famous.
la famille, family.
la fantaisie, fancy, skit.
fantasque, *adj.*, fanciful, fitful.
la farine, flour, flour business.
fasse, *pres. subj. of* faire.
fatigué, -e, *adj.*, tired.
faudra, *fut. of* falloir.

# Vocabulary

fausse, *f. of* faux.
faut, *pres. ind. of* falloir.
la faute, fault, mistake.
le fauteuil, armchair.
faux, fausse, *adj.*, false, sham.
le faux-col, shirt collar.
la faveur, favor.
féconder, *tr.*, to make fruitful.
feignant, *pres. part. of* feindre.
feindre (feignant, feint, je feins, je feignis), *intr.*, to feign, pretend, sham.
feint, -e, *past part. of* feindre.
féliciter, *tr.*, to congratulate.
la femme, woman, wife.
fendre, *tr.*, to cleave, rend, split.
la fenêtre, window.
fera, ferai, *fut.*; feraient, ferait, *cond.*; ferez, *fut. of* faire.
fermer, *tr.*, to shut, close; — la marche, to bring up the rear.
le fermier, farmer.
féroce, *adj.*, ferocious, fierce.
la fête, feast, saint's day, birthday.
le feu, fire, heat, passion; avec —, passionately; armes à —, firearms; faire —, to fire.
le feuillage, foliage, leaves.
la feuille, leaf.
février, *m.*, February.
fi, *excl.*, fie, shame.

le fiancé, betrothed.
la ficelle, string, twine.
fichtre, *excl.*, good gracious, say.
fidèle, *adj.*, faithful, trusty.
fier, fière, *adj.*, proud.
la fierté, pride.
la figure, face.
figurer, *tr.*, to represent.
le filet, net.
la fille, girl, daughter.
le filleul, godson.
le fils, son, offspring.
la fin, end; à la —, in the end, at last.
la finance, finance; ministre des —s, Secretary of the Treasury.
fini, -e, *past part.*, over.
finir, *tr.*, to finish, to end.
fit, *past def. of* faire.
fixe, *adj.*, fixed; —! (*mil.*) eyes front! *or* attention!
fixement, *adv.*, fixedly.
le flacon, (*perfume*) small bottle.
le flair, scent.
flanquer, *tr.* (*coll.*), to give.
la fleur, flower.
le fleuriste, florist.
le fleuve, large river.
flottant, -e, *adj.*, billowing, baggy.
la foi, faith; ma —, upon my word, well, surely.
le foie, liver.
le foin, hay.

**la fois**, time; **chaque — que**, *conj.*, whenever; **une —**, once.
**la folie**, folly, madness.
**folle**, *f. of* **fou**.
**la folle**, crazy woman.
**le fond**, bottom, rear.
**font**, *pres. ind. of* **faire**.
**la force**, force, strength, vigor; **à — de**, by dint of, by means of.
**la forêt**, forest.
**formel, -le**, *adj.*, express.
**former**, *tr.*, to form, compose.
**formidable**, *adj.*, formidable, tremendous.
**fort, -e**, *adj.*, strong, husky, loud.
**fort**, *adv.*, very, very loud.
**fortifier**, *tr.*, to strengthen.
**la fortune**, fortune, wealth.
**fou, fol, folle**, *adj.*, foolish, mad, insane, crazy, silly.
**le fou**, crazy man.
**le fouet**, whip.
**fouiller**, *tr.*, to search; **se —**, to search one's pockets.
**la fourche**, pitchfork.
**la fourchette**, (*table*) fork.
**fourrer**, *tr.* (*coll.*), to thrust; **se —**, to "land," hide oneself.
**le foyer**, fireside, hearth.
**frais, fraîche**, *adj.*, fresh, cool.
**le franc**, franc.
**franc, franche**, *adj.*, free
**français, -e**, French.
**le français**, French language.
**le Français**, Frenchman; **les —**, the French.
**la France**, France.
**franche**, *f. of* **franc**.
**franchement**, *adv.*, frankly.
**frapper**, *tr. and intr.*, to strike, hit, rap, tap; knock, beat; **se — le front**, to tap one's forehead.
**la fraternité**, fraternity, brotherhood.
**frémissant, -e**, *adj.*, quivering.
**fréquenter**, *tr.*, to associate with.
**le frère**, brother.
**le fripon**, cheat, knave.
**friser**, *tr.*, to curl.
**frissonner**, *intr.*, to shiver.
**froid, -e**, *adj.*, cold.
**le froid**, cold.
**le front**, forehead.
**frotter**, *tr.*, to rub, box; **se — le dos** *or* **un genou**, to rub one's back *or* one's knee.
**le fruit**, fruit.
**fuir** (**fuyant, fui, je fuis, je fuis**), *intr.*, to flee.
**la fuite**, flight; **prendre la —**, to run away, elope.
**fumer**, *tr.*, to smoke.
**la fureur**, fury, rage.
**furieux, -ieuse**, *adj.*, furious, angry.
**furtivement**, *adv.*, furtively, stealthily.
**fus**, *past def. of* **être**.

# Vocabulary

**le fusil**, gun.
**fusiller**, *tr.*, to shoot; **vous faire —**, to have you shot.
**futur, -e**, *adj.*, future.
**fuyant**, *pres. part. of* **fuir**.

## G

**gagner**, *tr.*, to gain, earn, get.
**galamment**, *adv.*, gallantly.
**le galon**, stripe.
**la ganache**, lower jaw of a horse; (*coll.*), old fool.
**le garçon**, boy, lad, fellow, bachelor.
**la garde**, guard, care, keeping; **sur ses —s**, on one's guard; **prendre —**, to look out, pay attention; **se mettre en —**, to assume the position of "on guard."
**garder**, *tr.*, to guard, keep, look after, tend; **se —**, to refrain; **se — bien de**, to take good care not to.
**gauche**, *adj.*, left.
**la gauche**, left side.
**le gendre**, son-in-law.
**général, -e**, *adj.*, general.
**le général**, general.
**le génie**, genius.
**le genou**, knee; **se mettre à —x**, to kneel.
**les gens**, *m. and f. pl.*, people.
**gentil, -le**, *adj.*, nice, kind.
**le geste**, gesture.
**le gilet**, vest, waistcoat.
**le glacier**, glacier.

**le glaçon**, piece of ice, icicle.
**la gloire**, glory.
**glousser**, *intr.*, to cluck.
**le goinfre**, glutton.
**le gondolier**, gondolier.
**la gorge**, throat.
**le goujat**, ill-bred fellow.
**la grâce**, grace, favor, thank; **de —**, pray, I pray you.
**gracieusement**, *adv.*, courteously.
**la grammaire**, grammar.
**grand, -e**, *adj.*, great, large, big, deep.
**la grand'mère**, grandmother.
**la grand'peur**, great fear.
**la grappe**, bunch (*of grapes*).
**la gratification**, tip.
**la gratitude**, gratitude.
**gratter**, *tr.*, to scratch; **se — la tête** *or* **l'oreille**, to scratch one's head *or* one's ear.
**grave**, *adj.*, grave, solemn.
**grec, -que**, *adj.*, Greek; **bonnet —**, traveling cap, skull cap.
**la grille**, large iron gate, main entrance.
**grimper**, *intr.*, to climb.
**grogner**, *intr.*, to grunt.
**grommeler**, *intr.*, to grumble, mutter.
**gros, -se**, *adj.*, big, large, bulky, deep.
**grossier, -ière**, *adj.*, coarse, uncouth, ill bred.
**le groupe**, group.

**guérir**, *tr.*, to cure, heal; *intr.*, to recover; **se —**, to recover.

**la guérison**, cure, recovery.

**la guerre**, war.

**le gueux**, beggar, blackguard.

**guider**, *tr.*, to guide, lead.

**Guillaume**, William.

**la guirlande**, wreath

## H

(The asterisk indicates that initial **h** was formerly aspirate and that neither elision nor linking must take place.)

**habile**, *adj.*, skillful, clever, able.

**s'habiller**, *refl.*, to dress oneself, dress.

**l'habit**, *m.*, garment, coat.

**l'habitant**, *m.*, inhabitant.

**habiter**, *tr.*, to live (in).

**la hache**, ax.

**la haine**, hatred.

**l'haleine**, *f.*, breath, wind.

**la halte**, halt; **— -là!** halt! **faire —**, to halt.

**le hareng**, herring.

**le hasard**, hazard, chance, accident.

*****hausser**, *tr.*, to shrug.

*****haut**, **-e**, *adj.*, high, tall, loud; **à —e voix**, aloud.

**le haut**, height.

*****haut**, *adv.*, high, loud, aloud; **en —**, above; **tout en —**, at the very top.

*****hé**, *excl.*, hey.

**l'hébètement**, *m.*, extreme stupefaction.

*****hein**, *excl.*, hey; what.

**hélas** (*sound the* s), *excl.*, alas.

**l'Helvétie**, *f.*, Helvetia (*former name of Switzerland*).

*****hennir** (*sound as if spelled* **anir**), *intr.*, to neigh.

**l'herbe**, *f.*, grass.

**l'héritier**, *m.*, heir.

**l'héritière**, *f.*, heiress.

**l'hermine**, *f.*, ermine.

**l'hésitation**, *f.*, hesitation.

**hésiter**, *intr.*, to hesitate.

**l'heure**, *f.*, hour, time, o'clock; **de bonne —**, early; **tout à l'—**, in a little while, a little while ago.

**heureux**, **-euse**, *adj.*, happy, lucky, pleased.

*****heurter**, *tr.*, to run against.

**hier**, *adv.*, yesterday.

**l'hirondelle**, *f.*, swallow.

*****hisser**, *tr.*, to hoist; **ah! hisse**, up he goes!

**l'histoire**, *f.*, history, story.

**l'hiver**, *m.*, winter.

*****holà**, *excl.*, stop.

**l'homme**, *m.*, man.

**honnête**, *adj.*, honest, becoming.

**l'honneur**, *m.*, honor.

**honorable**, *adj.*, honorable.

**honorer**, *tr.*, to honor.

**la honte**, shame; **avoir —**, to be ashamed.

l'hôpital, *m.*, hospital.
*hors de, *prep.*, out of; — lui, beside himself.
*huit, *num. adj.*, eight.
*hum, *excl.*, hem, h'm.
humble, *adj.*, humble.
l'humeur, *f.*, humor.
humilié, -e, *past part.*, humiliated.
*hurler, *intr.*, to howl, shout.

## I

ici, *adv.*, here.
idéal, -e, *adj.*, ideal.
l'idée, *f.*, idea.
idem (*Latin*), *adj.*, the same; aux —, ditto.
idiopathique, *adj.*, idiopathic.
l'idiot, *m.*, fool.
l'ignorance, *f.*, ignorance.
ignorant, -e, *adj.*, ignorant.
ignorer, *tr.*, not to know.
il, *pers. pron.*, he, it, there; *pl.*, they.
illustre, *adj.*, illustrious.
l'image, *f.*, image, picture.
imaginer, *tr.*, to imagine; s'—, to imagine, fancy
imiter, *tr.*, to imitate.
immédiatement, *adv.*, immediately.
l'immobilité, *f.*, stalling.
impatienté, -e, *past part.*, provoked, out of patience.
l'impertinent, *m.*, saucy fellow.
l'impétuosité, *f.*, impetuosity, flood.

implorer, *tr.*, to implore, beg.
important, -e, *adj.*, important.
importer, *intr.*, to be of importance; n'importe, never mind; n'importe quel, any.
importuner, *tr.*, to importune, plague, torment.
imposer, *tr.*, to impose, force upon.
impossible, *adj.*, impossible.
impotent, -e, *adj.*, infirm, invalid.
improviser, *tr.*, to speak extempore, make up.
impur, -e, *adj.*, impure, tainted.
s'incliner, *refl.*, to bow.
inclus, -e, *past part.*, inclosed.
incomplet, -ète, *adj.*, incomplete.
incurable, *adj.*, incurable
l'Inde, *f.*, India.
l'index, *m.*, forefinger.
l'indifférence, *f.*, indifference, unconcern.
l'indifférent, *m.*, indifferent person.
indigné, -e, *adj.*, indignant.
indigner, *tr.*, to make indignant.
indiquer, *tr.*, to indicate, point out.
indirect, -e, *adj.*, indirect.
l'individu, *m.*, fellow.
l'indulgence, *f.*, indulgence, mildness.
indulgent, -e, *adj.*, indulgent

l'infâme, *m.*, base wretch.
l'infamie, *f.*, infamy.
l'infanterie, *f.*, infantry.
l'infirmière, *f.*, nurse.
l'infirmité, *f.*, infirmity.
inguérissable, *adj.*, incurable.
l'initiation, *f.*, initiation.
l'injure, *f.*, insult.
inoffensif, –ive, *adj.*, harmless.
inquiet, –iète, *adj.*, uneasy, restless.
s'inquiéter, *refl.*, to concern oneself, worry.
s'insinuer, *refl.*, to meddle (with).
insister, *intr.*, to insist.
l'insolence, *f.*, insolence, abuse, insult.
insolent, –e, *adj.*, insolent.
l'inspecteur, *m.*, inspector, superintendent.
inspirer, *tr.*, to inspire.
s'installer, *refl.*, to install oneself, sit down comfortably, settle oneself.
l'instant, *m.*, instant; à l'— même, this very moment.
l'institutrice, *f.*, school mistress.
l'instrument, *m.*, instrument.
l'insulte, *f.*, insult.
insupportable, *adj.*, unbearable.
l'intelligence, *f.*, intelligence, brightness.
intenable, *adj.*, unbearable.

l'intention, *f.*, intention.
interdit, –e, *past part.*, confused, dumfounded.
intéresser, *tr.*, to interest.
l'intérêt, *m.*, interest.
l'intérieur, *m.*, interior, inside.
l'intermédiaire, *m. or f.*, go-between.
l'interprète, *m. or f.*, interpreter.
interroger, *tr.*, to question.
s'interrompre, *refl.*, to interrupt oneself.
intituler, *tr.*, to entitle.
l'intrus, *m.*, intruder.
inutilement, *adv.*, in vain, to no purpose, for nothing.
l'invention, *f.*, invention, stratagem, untruth.
invisible, *adj.*, invisible.
l'invitation, *f.*, invitation.
l'invitée, *f.*, guest.
inviter, *tr.*, to invite; **s'—**, to invite oneself.
irai, *fut. of* aller.
ironique, *adj.*, ironical.
isolé, –e, *adj.*, isolated, lonely.
l'issue, *f.*, exit, means of egress.
l'Italie, *f.*, Italy.
l'ivresse, *f.*, intoxication; **avec —**, passionately.
l'ivrogne, *f.*, drunkard.

# J

jaloux, –ouse, *adj.*, jealous, anxious.

**jamais**, *adv.*, ever, never; **ne . . . —**, never.
**la jambe**, leg.
**janvier**, *m.*, January.
**le jardin**, garden.
**je**, *pers. pron.*, I.
**Jean**, John.
**Jeanne**, Jane.
**jeter**, *tr.*, to throw, throw away; **se —**, to throw oneself, enter.
**le jeu**, play, by-play.
**jeune**, *adj.*, young.
**la jeunesse**, youth.
**la joie**, joy.
**joli, -e**, *adj.*, pretty.
**la joue**, cheek.
**joue**, *pres. ind. of* jouer.
**jouer**, *tr.*, to play; *intr.*, to play, be playful, fool, gamble.
**le jouet**, toy.
**le jour**, day.
**le journal**, newspaper.
**la journée**, day.
**joyeux, -euse**, *adj.*, joyous, merry.
**le juge**, judge, justice of the peace; **monsieur le —**, Your *or* His Honor.
**juger**, *intr.*, to judge.
**juillet**, *m.*, July.
**juin**, *m.*, June.
**jusque**, *prep.*, as far as, even; **jusqu'à**, up to, till, to; **jusqu'ici** *or* **jusqu'à présent** *or* **jusqu'aujourd'hui**, up to the present time, till to-day.
**juste**, *adv.*, just.
**justement**, *adv.*, just, precisely.
**la justesse**, accuracy, correctness.
**la justice**, justice, courts.

## K

**le képi**, military cap.

## L

**l'** = **le** *or* **la**.
**la**, *def. art.*, the; *pers. pron.*, her, it.
**là**, *adv.*, there; **— -bas**, yonder, over there; **— -dessous**, underneath, below; **— -dessus**, thereupon; **— dedans**, in it, with it.
**le lâche**, coward.
**lâcher**, *tr.*, to let go; (*coll.*), to leave, " shake."
**Lafayette**, Lafayette (1757-1834).
**la laine**, wool; **bêtes à —**, sheep.
**laisser**, *tr.*, to leave, let, leave alone; **— là**, to leave alone; **se —**, to let oneself.
**le lait**, milk; **café au —**, coffee with milk.
**se lamenter**, *refl.*, to lament.
**le langage**, language.
**la langue**, tongue, language.
**le lapin**, rabbit.
**le laquais**, footman.
**laquelle**, *f. of* **lequel**.

**large**, *adj.*, wide, broad.
**le large**, breadth; **de long en —**, up and down, to and fro.
**laver**, *tr.*, to wash.
**le**, *def. art.*, the; *pers. pron.*, him, it, so.
**léché, -e**, *past part.*, licked.
**la leçon**, lesson.
**la lecture**, reading; **donner — de**, to read.
**ledit, ladite**, *adj.*, the aforesaid.
**léger, -ère**, *adj.*, light, slight.
**légèrement**, *adv.*, lightly, slightly.
**léguer**, *tr.*, to bequeath.
**lentement**, *adv.*, slowly.
**lequel, laquelle, lesquels, lesquelles**, *rel. and interr. pron.*, who, whom, which, that.
**la lettre**, letter.
**leur**, *poss. adj.*, their; *pers. pron.*, to them, them.
**lever**, *tr.*, to raise, lift, adjourn; **se —**, to arise, get up, stand up.
**le lever**, rising.
**la lèvre**, lip.
**la liberté**, liberty, freedom; **en —**, at large.
**libre**, *adj.*, free, bold.
**le lieu**, place, spot; **au — de**, *prep.*, instead of.
**le lieutenant**, lieutenant; **— -colonel**, lieutenant-colonel.
**le lilas**, *m.*, lilac, lilac color.
**limpide**, *adj.*, limpid.
**le linge**, linen, bandage.

**lire (lisant, lu, je lis, je lus)**, *tr.*, to read.
**lisant**, *pres. part.*; **lisez**, *pres. ind. and impv.* of **lire**.
**lisiblement**, *adv.*, legibly.
**la liste**, list.
**le lit**, bed.
**lit**, *pres. ind.* of **lire**.
**le livre**, book.
**livrer**, *tr.*, to deliver.
**local, -e**, *adj.*, local.
**loger**, *intr.*, to lodge; **être logé**, to be billeted.
**logique**, *adj.*, logical.
**le logis**, habitation, house.
**loin**, *adv.*, far, afar.
**l'on**, *pron.*, one, they, people.
**long, longue**, *adj.*, long.
**le long**, length; **de — en large**, up and down, to and fro; **de tout son —**, at full length.
**longtemps**, *adv.*, a long time.
**longue**, *f.* of **long**.
**lorsque**, *conj.*, when.
**louer**, *tr.*, to rent.
**lourd, -e**, *adj.*, heavy.
**lui**, *pers. pron.*, he, to him, him; to her, her; to it, it; **— -même**, himself.
**la lune**, moon.
**les lunettes**, *f. pl.*, eyeglasses.

## M

**m'** = **me**.
**ma**, *poss. adj. f.*, my.
**machiavélique**, *adj.*, Machiavelian.

## Vocabulary

madame, *f.*, Mrs., madame, the lady.
mademoiselle, *f.*, Miss, the young lady.
le magasin, store.
magnifique, *adj.*, magnificent, splendid.
mai, *m.*, May.
maigre, *adj.*, meager, thin.
le maillet, gavel.
la main, hand.
maintenant, *adv.*, now.
mais, *conj.*, but, why.
la maison, house, firm.
le maître, master, teacher.
la maîtresse, teacher.
la majesté, majesty.
le majeur, middle finger.
la majuscule, capital letter.
mal, *adv.*, badly.
le mal, harm, wrong doing, pain, disease, illness; avoir —, to be hurt; faire —, to harm, hurt.
malade, *adj.*, ill, sick.
le malade, la malade, patient.
la maladie, sickness, disease, case.
mâle, *adj.*, manly.
le malfaiteur, malefactor, criminal.
malgré, *prep.*, in spite of.
le malheur, misfortune.
malheureusement, *adv.*, unfortunately.
malheureux, -euse, *adj.*, unhappy, unfortunate, unlucky.
le malheureux, poor wretch, poor fellow.
malicieusement, *adv.*, slily, mischievously.
malin, -igne, *adj.*, sly, sharp.
maltraiter, *tr.*, to illtreat, abuse.
la maman, mamma.
le manant, peasant.
la manche, sleeve.
le manchon, muff.
manger, *tr.*, to eat.
manier, *tr.*, to handle, toy with.
la manière, manner, way; de la —, in the way.
manquer, *tr.*, to miss; *intr.*, to lack, want, fail, come near; be missing.
le maraud, knave, rascal.
le marbre, marble.
le marchand, la marchande, merchant, dealer, storekeeper.
la marche, walk, procession, course; fermer la —, to bring up the rear.
marcher, *intr.*, to march, proceed, walk, go.
la marguerite, daisy.
Marguerite, Margaret.
le mari, husband.
le mariage, marriage.
marier, *tr.*, to marry; se —, to get married.

la marque, mark.
marquer, *tr.*, to show; — le pas, to mark time.
le marquis, marquis.
mars, *m.*, March.
la Marseillaise, *the French national hymn.*
le marteau, hammer.
le matin, morning; *adv.*, early in the morning.
maudit, -e, *past part.*, confounded.
mauvais, -e, bad, wicked.
me, *pers. pron.*, me, to me.
mécanique, *adj.*, mechanic.
méchant, -e, *adj.*, bad, wicked, unjust.
le mécontentement, dissatisfaction, displeasure.
le médecin, physician.
la médecine, medicine.
se méfier, *refl.*, to mistrust, look out.
meilleur, -e, *adj.*, better, best.
mêler, *tr.*, to mix, mingle; se —, to mix, meddle, mind, trouble oneself; s'en —, to conspire to make matters worse; de quoi vous mêlez-vous? what business is that of yours?
le membre, member.
même, *adj.*, same, very, self; la — main, the same hand; la main —, the very hand; moi- —, myself; lui- —, himself.

même, *adv.*, even; de —, same, same by-play, in the same way; tout de —, just the same.
la mémoire, memory.
la menace, threat.
menacer, *tr.*, to threaten.
le ménage, married couple.
mener, *tr.*, to lead, take.
ment, *pres. ind. of* mentir.
mental, -e, *adj.*, mental.
mentir (mentant, menti, je mens, je mentis), *intr.*, to tell a lie.
le menton, chin.
la mer, sea.
merci, *excl.*, thanks.
la mère, mother.
mériter, *tr.*, to deserve.
le merle, blackbird; — blanc, rare bird.
la merveille, marvel, wonder.
merveilleux, -euse, *adj.*, wonderful.
mes, *poss. adj. pl.*, my.
mesdemoiselles, *f. pl.*, young ladies.
le message, message.
messieurs, *m. pl.*, Messrs., gentlemen.
la mesure, measure; à — que, *conj.*, in proportion as, as.
met, *pres. ind. of* mettre.
le métal, metal.
la méthode, method, way.
le métier, profession, trade, job.

**mettre** (mettant, mis, je mets, je mis), *tr.*, to put, place, poke (nose); **— le couvert**, to set the table; **— en fureur**, to infuriate; **— à la porte**, to put out, expel; **être mal mis**, to be badly dressed; **se —**, to place oneself; **se — à** (+ *inf.*), to begin to; **se — en garde**, to assume the position of "on guard"; **se — à genoux**, to kneel; **se — en tête de**, to take into one's head to.

**le meuble**, piece of furniture.

**le meunier**, miller.

**miauler**, *intr.*, to mew.

**midi**, *m.*, noon.

**ma mie** (*obsolete for* **mon amie**), my love.

**le mien, la mienne**, *poss. pron.*, mine.

**mieux**, *adv.*, better, best; **de son —**, to the best of his ability; **faire de son —**, to do one's best; **tant —**, so much the better.

**le milieu**, middle; **au — de**, *prep.*, in the middle of, in the midst of.

**militaire**, *adj.*, military.

**le militaire**, soldier.

**mille**, *num. adj.*, thousand.

**le millionnaire**, millionaire.

**la mimique**, mimicry, pantomime.

**le ministre**, minister, secretary.

**la minute**, minute; **à la —**, instantly.

**minutieusement**, *adv.*, minutely.

**le miracle**, miracle.

**miraculeux, -euse**, *adj.*, miraculous, wonderful.

**mis**, *past def.*; **mis(e)**, *past part. of* **mettre**.

**le misérable**, wretch.

**la miséricorde**, mercy, pity.

**mixte**, *adj.*, mixed.

**Mlle = Mademoiselle.**

**Mme = Madame.**

**le modèle**, model.

**moderne**, *adj.*, modern.

**modeste**, *adj.*, modest.

**moi**, *pers. pron.*, I, me, to me; **— -même**, myself.

**moindre**, *adj.*, least.

**moins**, *adv.*, less.

**le mois**, month.

**la moisson**, harvest.

**la moitié**, half.

**le moment**, moment; **au — où**, just as; **du — que**, since; **d'un — à l'autre**, at any moment.

**mon, ma, mes**, *poss. adj.*, my.

**le monde**, world; **tout le monde**, everybody; **homme du —**, man of the world, polite.

**monsieur**, *m.*, Mr., sir, gentleman.

**monter,** *intr.,* to mount, ascend, go up, climb, come up, step.
**la montre,** watch.
**montrer,** *tr.,* to show, point out; **se —,** to show oneself.
**se moquer de,** *refl.,* to laugh at, make fun of, make a fool of.
**morbleu,** *excl.,* by Jove.
**mordre,** *tr.,* to bite.
**la mort,** death.
**mort, –e,** *adj.,* dead, out; *also past part. of* **mourir.**
**la morte,** dead woman.
**le mortel,** mortal, man.
**le mot,** word; **— de ralliement,** countersign.
**le motif,** motive, reason.
**la motion,** motion.
**mou, mol, molle,** *adj.,* soft.
**le mouchoir,** handkerchief.
**mouillé, –e,** *past part.,* wet.
**la moule,** mussel; (*coll.*), boob.
**le moulin,** mill; **— à vent,** windmill.
**mourir (mourant, mort, je meurs, je mourus, je mourrai, je meure),** *intr.,* to die.
**mourrai,** *fut.;* **mourut,** *past def. of* **mourir.**
**la moustache,** mustache.
**le mouton,** sheep.
**le mouvement,** movement, motion, gesture.
**le moyen,** means, way.

**muet, –te,** *adj.,* dumb, speechless.
**mugir,** *intr.,* to roar, yell.
**le mur,** wall.
**se mûrir,** *refl.,* to get ripe.
**murmurer,** *tr.,* to mutter, whisper.
**la muse,** Muse, inspiration.
**la musique,** music, concert.
**le musulman,** Mussulman.
**mystifié, –e,** *past part.,* tricked.

### N

**n' = ne.**
**naïf, naïve,** *adj.,* candid.
**naître (naissant, né, je nais, je naquis),** *intr.,* to be born.
**le narcisse,** narcissus (*a genus including the daffodil and the jonquil*).
**la nature,** nature.
**naturel, –le,** *adj.,* natural.
**naturellement,** *adv.,* naturally.
**ne,** *adv.,* not; **— ... pas,** not; **— ... que,** only.
**né, –e,** *past part. of* **naître.**
**la nécessité,** necessity.
**la neige,** snow.
**le nerf,** nerve.
**le neveu,** nephew.
**le nez,** nose.
**ni,** *adv.,* neither, nor.
**le nid,** nest.
**la nièce,** niece.
**nier,** *tr.,* to deny.
**la noblesse,** nobleness, heroism.

la **Noël**, Christmas.
**noir, -e**, *adj.*, black, dark.
le **noir**, black.
la **noisette**, hazel nut.
le **nom**, name.
**nombreux, -euse**, *adj.*, numerous, many.
**nominal, -e**, *adj.*, nominal; **appel —**, roll call.
la **nomination**, appointment.
**nommer**, *tr.*, to name, call, appoint; **se —**, to be called.
**non**, *adv.*, no; **— pas**, surely not.
le **non**, no.
**Normand**, *name of a modern French poet.*
la **Normandie**, Normandy, *a former French province northwest of Paris.*
**notre, nos**, *poss. adj.*, our.
le **nôtre, la nôtre**, *poss. pron.*, ours; **un des —s**, one of us.
**nourrir**, *tr.*, to feed.
**nous**, *pers. pron.*, we, us, to us.
**nouveau, nouvel, nouvelle**, *adj.*, new, other; **de —**, again, anew.
le **nouveau**, new member.
la **nouvelle**, news, tidings; **avoir des —s de**, to hear from.
**novembre**, *m.*, November.
**nu, -e**, *adj.*, bare.
la **nuit**, night.
**nul, -le**, *adj.*, void.

## O

**ô**, *excl.*, O! oh!
**obéir**, *intr.*, to obey.
l'**objet**, *m.*, object.
**obligé, -e**, *adj.*, obliged, thankful.
l'**obligeance**, *f.*, kindness.
**obliger**, *tr.*, to oblige, compel.
**obscur, -e**, *adj.*, dark.
l'**observateur**, *m.*, observer.
l'**observation**, *f.*, observation; **en —**, under observation.
**observer**, *tr.*, to observe, notice, watch; **faire —**, to remind.
l'**obstacle**, *m.*, obstacle.
l'**obstiné**, *m.*, stubborn man.
**obtenir** (obtenant, obtenu, j'obtiens, j'obtins, j'obtiendrai, j'obtienne), *tr.*, to obtain, get.
**obtiens**, *pres. ind. of* obtenir.
l'**occasion**, *f.*, occasion, opportunity.
**occuper**, *tr.*, to occupy; **s'— de**, to occupy oneself with, concern oneself with, mind, keep.
l'**océan**, *m.*, ocean.
**octobre**, *m.*, October.
l'**oculiste**, *m.*, oculist.
l'**œil**, *m.* (*pl.* les yeux), eye.
l'**œuf** (f silent in the plural), *m.*, egg.
l'**officier**, *m.*, officer.
**offrir** (offrant, offert, j'offre, j'offris), *tr.*, to offer.

oh, *excl.*, oh, O.
l'oie, *f.*, goose, fool.
l'oiseau, *m.*, bird.
l'ombre, *f.*, shadow, darkness.
l'ombrelle, *f.*, parasol.
l'omoplate, *f.*, shoulder-blade.
on, *pron.*, one, they, people.
l'oncle, *m.*, uncle.
ont, *pres. ind. of* avoir.
l'opération, *f.*, operation, job.
opérer, *intr.*, to act, work.
l'opinion, *f.*, opinion.
opposer, *tr.*, to oppose, give; s'—, to oppose, be opposed.
l'opposition, *f.*, opposition.
oppresser, *tr.*, to oppress.
optique, *adj.*, optic.
or, *conj.*, now.
l'or, *m.*, gold; d'—, golden.
l'orange, *f.*, orange.
ordinaire, *adj.*, ordinary, usual.
l'ordinaire, *m.*, ordinary; comme à l'—, as usual.
ordinairement, *adv.*, usually.
ordonner, *tr.*, to order, decree.
l'ordre, *m.*, order, business.
l'oreille, *f.*, ear.
organiser, *tr.*, to organize, prepare.
l'orgueil, *m.*, pride.
Ornano, *name of a celebrated Corsican family; a boulevard in Paris.*
orner, *tr.*, to adorn.
l'orphelin, *m.*, l'orpheline, *f.*, orphan.

l'os, *m.*, bone; **trempé jusqu'aux** —, soaked to the skin.
oser, *intr.*, to dare.
ôter, *tr.*, to take away, deprive.
ou, *conj.*, or, either.
où, *adv.*, where, in which, during which, when.
oublier, *tr.*, to forget.
ouf, *excl.*, phew!
oui, *adv.*, yea.
l'oui, *m.*, yea.
l'ours (*sound the* s), *m.*, bear.
ouvert, -e, *past part. of* ouvrir.
l'ouvrier, *m.*, workman, mechanic.
ouvrir (ouvrant, ouvert, j'ouvre, j'ouvris), *tr.*, to open, call to order; s'—, to open.

## P

le pacha, pasha.
la page, page.
le pain, bread.
la paix, peace.
le palier, landing.
la palissade, fence.
palpitant, -e, *adj.*, thrilling.
la palpitation, palpitation, throbbing.
la panoplie, panoply.
le pantalon, trousers.
la pantomime, pantomime.
le papa, papa, father.
le papier, paper.
le papillon, butterfly.

# Vocabulary

**Pâques**, *m.*, Easter.
**le paquet**, bundle; **faire son —**, to pack up one's traps.
**par**, *prep.*, by, through a.
**paraître** (**paraissant, paru, je parais, je parus**), *intr.*, to appear.
**la paralysie**, paralysis.
**le parapluie**, umbrella.
**parbleu**, *excl.*, by Jove, upon my word, of course, no wonder, why.
**parce que**, *conj.*, because.
**pardon**, *m.*, pardon; **—!** I beg your pardon, excuse me.
**pardonner**, *tr.*, to forgive.
**pareil, -le**, *adj.*, similar, like, such.
**parfait, -e**, *adj.*, perfect.
**parfaitement**, *adv.*, perfectly, completely.
**parier**, *tr.*, to bet.
**Paris**, *m.*, Paris.
**parisien, -ne**, *adj.*, Parisian.
**parler**, *intr.*, to speak; **se —**, to speak to each other.
**parmi**, *prep.*, among, amidst.
**la parole**, word, speech, promise; **demander la —**, to want the floor; **perdre la —**, to lose one's speech.
**le parrain**, sponsor.
**pars**, *pres. ind. of* **partir**.
**la part**, share; **à —**, aside, except, to oneself; **de ma —**, as coming from me; **quelque —**, somewhere.
**partager**, *tr.*, to share.
**le parti**, decision, suitor; **prendre le —**, to make up one's mind.
**particulier, -ière**, *adj.*, particular, special.
**la partie**, part, party; **faire — de**, to become a member of.
**partir** (**partant, parti, je pars, je partis**), *intr.*, to depart, leave.
**partout**, *adv.*, everywhere, anywhere.
**la parure**, ornament.
**le pas**, step, pace; **marquer le —**, to mark time.
**pas**, *adv.*, not; **ne . . . —**, not.
**le passage**, passage, way, exit.
**le passé**, past.
**passer**, *tr.*, to pass, spend, while away; *intr.*, to pass, be spent; **— chez vous**, to call on you; **se — de**, to do without; **se — de souper**, to have no supper.
**la patate**, sweet potato.
**le patriarche**, patriarch.
**la patrie**, native land, fatherland, country.
**la patte**, paw, foot.
**la paume**, palm.
**la pause**, time to rest
**pauvre**, *adj.*, poor.
**le pauvre**, poor person, pauper.
**la pauvresse**, beggar woman.

**payer**, *tr.*, to pay, pay for.
**le paysage**, landscape.
**le paysagiste**, landscape painter.
**le paysan**, peasant.
**la pêche**, fishing, fish (*caught*).
**le péché**, sin.
**le pêcheur**, fisherman.
**peindre** (**peignant, peint, je peins, je peignis**), *tr.*, to paint.
**la peine**, pain, trouble, worry; **à —**, hardly.
**peint, -e**, *past part. of* **peindre**.
**le peintre**, painter.
**la peinture**, painting.
**le peloton**, ball.
**penaud, -e**, *adj.*, abashed, sheepish.
**pencher**, *intr.*, to stoop, bend.
**pend**, *pres. ind. of* **pendre**.
**pendant**, *prep.*, during; **— que**, *conj.*, while.
**le pendard**, rogue, gallows bird.
**pendre**, *tr.*, to hang; **te faire —**, to have you hung.
**pendu, -e**, *past part.*, hung, hanging, attached.
**la pendule**, clock.
**penser**, *intr.*, to think; **— à**, to think of; **sans y —**, unintentionally.
**le pensionnaire**, boarder.
**perçant, -e**, *adj.*, piercing, shrill.
**perdre**, *tr.*, to lose.
**le perdreau**, young partridge.

**le père**, father.
**périodique**, *adj.*, periodic.
**la perle**, pearl.
**permettre** (**permettant, permis, je permets, je permis**), *tr.*, to permit, allow.
**permis, -e**, *past part. of* **permettre**.
**la permission**, permission.
**le perroquet**, parrot.
**la perruque**, wig; **tête à —**, wigmaker's block, fool.
**le personnage**, personage, character.
**la personne**, person, body; **en —**, himself.
**personne**, *indef. pron. m.*, anybody, nobody; **ne . . . —** *or* **— . . . ne**, nobody.
**personnellement**, *adv.*, personally.
**persuader**, *tr.*, to persuade, convince.
**la pervenche**, periwinkle.
**petit, -e**, *adj.*, small, little.
**le petit, la petite**, little one.
**petitement**, *adv.*, poorly.
**peu**, *adv.*, little; **avant —**, before long.
**le peu**, little.
**la peur**, fear; **avoir —**, to be afraid; **avoir grand'—**, to be very much afraid.
**peut**, *pres. ind. of* **pouvoir**.
**peut-être**, *adv.*, perhaps.
**peuvent, peux**, *pres. ind. of* **pouvoir**.

# Vocabulary

la photographie, photograph.
la phrase, phrase, sentence.
physique, *adj.*, physical.
la pièce, piece, bit.
le pied, foot; à —, on foot; coup de —, kick.
Pierre, Peter.
le pigeon, pigeon.
la pipe, pipe.
le pipelet (*coll.*), janitor.
le pistolet, pistol.
la pitié, pity.
la place, place, seat, room
placer, *tr.*, to place, lay.
le plafond, ceiling.
plaider, *intr.*, to plead.
la plaine, plain.
plaire (plaisant, plu, je plais, je plus), *intr.*, to please; se — à, to delight in, take pleasure in, like.
plaisais, *impf. ind. of* plaire.
le plaisant, ludicrous, fun.
plaisanter, *intr.*, to joke.
la plaisanterie, joke.
plaise, *pres. subj. of* plaire.
le plaisir, pleasure, delight, favor.
plaît, *pres. ind. of* plaire.
la plante, plant.
planter, *tr.*, to plant, drive.
le planton, sentry; de —, on duty, on guard.
le plat, dish.
pleurer, *intr.*, to weep.
plu, *past part. of* plaire.
la pluie, rain.

la plume, feather, quill, pen.
le plumeau, duster.
la plupart, majority, most.
plus, *adv.*, more, most; **ne** . . . —, no more, no longer; ne . . . — **que**, nothing else but, only . . . more; de — en —, more and more.
plusieurs, *adj. and pron.*, several.
plutôt, *adv.*, rather.
la poche, pocket.
le poème, poem.
la poésie, poetry.
le poète, poet.
le point, point, degree; — **de vue**, standpoint.
point, *adv.*, not at all; **ne** . . . —, not at all.
pointu, -e, *adj.*, pointed, sharp.
le poisson, fish.
la poitrine, chest.
la police, police.
le Polonais, Pole.
la pomme, apple.
ponctuer, *tr.*, to punctuate, interrupt.
la porte, door.
la portée, reach; à la — de, within reach of.
porter, *tr.*, to carry, bear, wear, place, put, take; — l'arme *or* les —s, to present arms; se — bien, to be in good health; se — mal, to be sick; **comment vous portez-vous?** how are you?

**la portière**, (carriage) door.
**le portrait**, portrait, picture.
**poser**, *tr.*, to place, put down, ask (questions).
**posséder**, *tr.*, to possess, own.
**possible**, *adj.*, possible.
**le post-scriptum**, postscript.
**le pot**, pot; (*coll.*), deaf fellow.
**le potage**, soup.
**le pouce**, thumb.
**la poule**, hen.
**le pouls**, pulse.
**le poumon**, lung.
**la poupée**, doll.
**pour**, *prep.*, for, to, in order to, as to; — **que**, *conj.*, in order that, so that.
**pourquoi**, *adv.*, why?
**pourra, pourrai**, *fut.;* **pourrait, pourriez**, *cond.;* **pourrons, pourront**, *fut.* of **pouvoir**.
**poursuivre** (**poursuivant, poursuivi, je poursuis, je poursuivis**), *tr.*, to pursue, go after.
**pourtant**, *adv.*, however, still, yet.
**pourvu que**, *conj.*, provided that, if only
**pousser**, *tr.*, to push, push open; utter, let out.
**la poussière**, dust.
**pouvoir** (**pouvant, pu, je peux** *or* **je puis, je pus, je pourrai, je puisse**), *intr.*, to be able, can, may; **se —**, to be possible, may be.

**le pouvoir**, power.
**le pré**, meadow.
**la précaution**, precaution.
**précédent, -e**, *adj.*, preceding.
**précéder**, *tr.*, to precede.
**précieux, -ieuse**, *adj.*, precious.
**précipiter**, *tr.*, to throw, dash down; **se —**, to rush, run.
**préférer**, *tr.*, to prefer.
**premier, -ière**, *adj.*, first.
**le premier**, first syllable *or* part of a word.
**prenais**, *impf. ind.;* **prenant**, *pres. part.* of **prendre**.
**prendre** (**prenant, pris, je prends, je pris, je prendrai, je prenne**), *tr.*, to take, catch; — **garde**, to look out, pay attention.
**prenne**, *pres. subj.;* **prennent**, *pres. ind.;* **prenons**, *pres. ind. and impv.* of **prendre**.
**le préparatif**, preparation.
**préparer**, *tr.*, to prepare; **se —**, to get ready.
**près de**, *prep.*, near; — **de**, *adv.*, nearly, almost.
**la présence**, presence.
**présent, -e**, *adj.*, present.
**le présent**, *m.*, present; **à —**, at present, now.
**la présente**, present letter.
**présenter**, *tr.*, to present, offer, introduce; **se —**, to present oneself, appear.
**présider**, *intr.*, to preside.

**presque**, *adv.*, almost.
**presser**, *intr.*, to press, push.
**prêt, -e**, *adj.*, ready.
**prétendre**, *tr.*, to pretend, claim, mean, expect.
**prêter**, *tr.*, to lend.
**le prêtre**, priest.
**la preuve**, proof, evidence.
**prévenir** (prévenant, prévenu, je préviens, je prévins, je préviendrai, je prévienne), *tr.*, to warn, inform.
**prier**, *tr.*, to pray, beg; **faire —**, to invite.
**la primevère**, primrose.
**le principe**, principle.
**le printemps**, spring.
**pris, -e**, *past part. of* prendre.
**la prison**, prison, jail.
**privé, -e**, *adj.*, private.
**se priver**, *refl.*, to deprive oneself.
**le prix**, price; **— de revient**, cost price.
**probable**, *adj.*, probable, likely.
**probablement**, *adv.*, probably, likely.
**le problème**, problem.
**le procédé**, proceeding, way.
**procéder**, *intr.*, to proceed.
**le procès**, lawsuit; **— -verbal**, minutes.
**prochain, -e**, *adj.*, next.
**proche**, *adj.*, near.
**procurer**, *tr.*, to obtain, get.
**le prodige**, prodigy, wonder.

**la profession**, profession, trade, calling.
**profiter**, *intr.*, to profit.
**profond, -e**, *adj.*, deep, dark.
**profondément**, *adv.*, deeply, very.
**le programme**, program.
**le progrès**, progress.
**le projet**, project.
**se promener**, *refl.*, to take a walk, walk, walk up and down *or* to and fro.
**la promesse**, promise, word.
**promettre** (promettant, promis, je promets, je promis), *tr.*, to promise.
**promptement**, *adv.*, quickly.
**le pronostic**, prognostic.
**le propos**, word; **à —**, by the way.
**proposer**, *tr.*, to propose, move.
**la proposition**, motion.
**la propriété**, property.
**le protégé**, protégé, candidate.
**la protestation**, protest.
**prouver**, *tr.*, to prove, show.
**providentiellement**, *adv.*, providentially.
**la province**, province.
**provoquer**, *tr.*, to provoke, challenge.
**prussien, -ne**, *adj.*, Prussian.
**le Prussien**, Prussian.
**pu**, *past part. of* pouvoir.
**puis**, *adv.*, then.
**puis**, *pres. ind. of* pouvoir.

**puisque**, *conj.*, since.
**puisse, puissiez, puissions,** *pres. subj. of* **pouvoir.**
**punir**, *tr.*, to punish.
**pur, -e,** *adj.*, pure, mere, nothing but.

## Q

**qu'** = **que.**
**qualifier**, *tr.*, to qualify, call.
**la qualité**, quality.
**quand**, *conj.*, when.
**la quantité**, quantity, lot.
**le quart**, quarter.
**le quartier**, neighborhood.
**quatre**, *num. adj.*, four; — **-vingts**, eighty.
**le quatrième**, fourth floor.
**que**, *conj.*, that, than, but, as; **ne ... —**, only, nobody but, nothing but; **aussi ... —**, as ... as.
**que**, *rel. pron.*, which, whom, that; **ce —**, what.
**que**, *interr. pron.*, what; **qu'est-ce que c'est**, what is it?
**que de**, *adv. (excl.)*, how much, how many.
**quel, -le**, *interr. adj.*, what.
**quelconque**, *indef. adj.*, any, any ... whatever.
**quelque**, *indef. adj.*, some, any; **— chose**, *m.*, something; *pl.*, a few.
**quelquefois**, *adv.*, sometimes.
**quelqu'un**, *indef. pron.*, somebody; **quelques-uns**, a few.

**la querelle**, quarrel.
**la question**, question.
**qui**, *rel. pron.*, who, which, that; **ce —**, what; **— que ce soit**, anybody.
**qui**, *interr. pron.*, who, whom.
**quinteux, -euse**, *adj.*, capricious.
**quinze**, *num. adj.*, fifteen.
**quitter**, *tr.*, to leave.
**quoi**, *rel. or interr. pron.*, what; **de —**, the wherewith, the thing; *excl.*, what!

## R

**raconter**, *tr.*, to relate, tell.
**radieux, -ieuse**, *adj.*, radiant.
**la rage**, rage, fury.
**rageur, -euse**, *adj.*, enraged.
**railleur, -euse**, *adj.*, sarcastic.
**la raison**, reason, argument, consideration; **avoir —**, to be right.
**raisonnable**, *adj.*, reasonable, sensible.
**le raisonnement**, reasoning, argument.
**raisonner**, *intr.*, to reason, argue.
**le ralliement**, rallying; **mot de —**, countersign; **avancer au —** (*mil.*), to advance and be recognized, advance and give the countersign.
**ramasser**, *tr.*, to gather, pick up.
**le rameau**, bough, small branch.

le **rang**, rank, line, row.
**rapide**, *adj.*, rapid, swift, speedy.
**rapidement**, *adv.*, quickly, swiftly.
le **rapin** (*coll.*), poor painter.
**rappeler**, *tr.*, to call back, remind; se —, to remember.
le **rapport**, report.
**rapporter**, *tr.*, to bring back, bring.
se **rapprocher**, *refl.*, to come nearer.
le **rasoir**, razor.
le **rassemblement** (*mil.*), fall in.
**ravi**, -e, *adj.*, delighted.
**récapituler**, *tr.*, to recapitulate, sum up.
**récemment**, *adv.*, recently.
**récent**, -e, *adj.*, recent.
**recevoir** (recevant, reçu, je reçois, je reçus, je recevrai, je reçoive), *tr.*, to receive.
**réciter**, *tr.*, to recite.
**reçois**, *pres. ind.*; **reçoive**, *pres. subj. of* **recevoir**.
la **récolte**, harvest, crop.
la **recommandation**, recommendation, introduction.
**recommander**, *tr.*, to recommend.
**récompenser**, *tr.*, to reward.
**reconnaître** (reconnaissant, reconnu, je reconnais, je reconnus), *tr.*, to recognize, reward.

**recouvrer**, *tr.*, to recover.
**reçu**, -e, *past part. of* **recevoir**.
**recueilli**, -e, *past part.*, in a meditative mood.
**recueillir** (recueillant, recueilli, je recueille, je recueillis, je recueillerai, je recueille), *tr.*, to take in, shelter.
**reculer**, *tr.*, to postpone; *intr.*, to fall back, retreat; se —, to fall back, draw back.
**redescendre**, *intr.*, to come down.
**redevenir** (redevenant, redevenu, je redeviens, je redevins, je redeviendrai, je redevienne), *intr.*, to become again.
**redoubler**, *intr.*, to redouble, increase.
se **redresser**, *refl.*, to straighten up.
**réduire** (réduisant, réduit, je réduis, je réduisis), *tr.*, to reduce, drive.
**réfléchir**, *intr.*, to reflect, think.
se **refléter**, *refl.*, to reflect, be reflected.
la **réflexion**, thought, reflection.
**réformé**, -e, *past part.*, invalid.
le **refrain**, refrain.
**refroidi**, -e, *past part.*, chilled, cooled.

**refuser**, *tr.*, to refuse, decline, send away.
**le regard**, look, glance.
**regarder**, *tr.*, to look, look at, concern; **ça ne vous regarde pas**, that's none of your business; **se —**, to look at each other.
**regretter**, *tr.*, to regret.
**la reine**, queen.
**réjouir**, *tr.*, to gladden; **se —**, to rejoice, be glad.
**se relever**, *refl.*, to get up again, get up.
**remarquablement**, *adv.*, remarkably.
**la remarque**, remark, comment.
**le remède**, remedy.
**remercier**, *tr.*, to thank.
**remettre** (remettant, remis, je remets, je remis), *tr.*, to put back, give back, carry back, deliver, hand, postpone.
**remonter**, *intr.*, to go back.
**remplacer**, *tr.*, to replace.
**remplir**, *tr.*, to fill.
**renaître** (renaissant, *past part. missing*, je renais, je renaquis), *intr.*, to be born again, revive.
**la rencontre**, encounter, meeting, coincidence.
**rencontrer**, *tr.*, to meet.
**le rendez-vous**, appointment.

**rendre**, *tr.*, to return, give back, give, render, make, pay.
**rengainer**, *tr.*, to sheathe.
**renoncer**, *intr.*, to renounce, give up.
**se renouveler**, *refl.*, to be renewed, change.
**rentrer**, *intr.*, to return, come home.
**renverser**, *tr.*, to throw down, upset, knock down.
**renvoyer**, *tr.*, to send back, return, dismiss.
**le repas**, meal.
**se repentir** (se repentant, s'étant repenti, je me repens, je me repentis), *refl.*, to repent.
**répéter**, *tr.*, to repeat.
**se replacer**, *refl.*, to place oneself again.
**replier**, *tr.*, to fold up again.
**répondre**, *tr.*, to answer; *intr.*, to be responsible.
**la réponse**, answer.
**le repos**, rest; (*mil.*), stand at ease.
**se reposer**, *refl.*, to rest.
**reprenant**, *pres. part. of* **reprendre**.
**reprendre** (reprenant, repris, je reprends, je repris, je reprendrai, je reprenne), *tr.*, to take again, take, assume again, resume; **se —**, to correct oneself.

**représenter,** *tr.*, to represent, show, play the part of; **se —,** to imagine, picture to oneself.

**réprimer,** *tr.*, to repress, check.

**le reproche,** reproach.

**reproduire (reproduisant, reproduit, je reproduis, je reproduisis),** *tr.*, to reproduce, imitate.

**requérir (requérant, requis, je requiers, je requis, je requerrai, je requière),** *tr.*, to request.

**requis, -e,** *past part. of* **requérir.**

**le réquisitoire,** public prosecutor's address to the court; long dull speech.

**se résigner,** *refl.*, to be resigned.

**résister,** *intr.*, to resist.

**résolu, -e,** *past part. of* **résoudre.**

**la résolution,** resolution.

**résolvent,** *pres. ind. of* **résoudre.**

**résoudre (résolvant, résolu, je résous, je résolus),** *tr.*, to decide, solve.

**le respect,** respect.

**respectable,** *adj.*, respectable.

**respectueusement,** *adv.*, respectfully.

**respirer,** *intr.*, to breathe.

**ressembler,** *intr.*, to resemble.

**se ressouvenir (se ressouvenant, s'étant ressouvenu, je me ressouviens, je me ressouvins, je me ressouviendrai, je me ressouvienne),** *refl.*, to remember.

**me ressouviens,** *pres. ind. of* **se ressouvenir.**

**le restaurant,** restaurant.

**le reste,** rest; **le — des,** other.

**rester,** *intr.*, to remain.

**se résumer,** *refl.*, to sum up.

**retenir (retenant, retenu, je retiens, je retins, je retiendrai, je retienne),** *tr.*, to retain, detain, hold back, keep back.

**retient,** *pres. ind. of* **retenir.**

**la rétine,** retina.

**retirer,** *tr.*, to take away, take back; **se —,** to withdraw, leave.

**le retour,** return; **de —,** back; **faire — vers,** to revert to, go back to.

**retourner,** *intr.*, to return, go back; **se —,** to turn around.

**rétracter,** *tr.*, to take back; **se —,** to take it back.

**retrouver,** *tr.*, to find again, meet.

**la revanche,** revenge.

**le rêve,** dream.

**se réveiller,** *refl.*, to awake.

**révéler,** *tr.*, to reveal, tell.

**revenir** (revenant, revenu, je reviens, je revins, je reviendrai, je revienne), *intr.*, to return, come back.

**rêver**, *tr.*, to dream, dream of, want.

**reverdir**, *intr.*, to become green again.

**la révérence**, bow, curtsy.

**reviendrai**, *fut.* ; **reviens**, *pres. ind.* of **revenir**.

**le revient**, net cost; **au prix de —**, at net cost.

**revoir** (revoyant, revu, je revois, je revis, je reverrai, je revoie), *tr.*, to see again.

**la revue**, review, inspection.

**le rhume**, cold.

**riant**, *pres. part.* of **rire**.

**riche**, *adj.*, rich, wealthy.

**la richesse**, riches, opulence.

**le rideau**, curtain.

**rien**, *indef. pron.*, *m.*, anything, nothing; **ne … —**, nothing.

**rire** (riant, ri, je ris, je ris), *intr.*, to laugh.

**le rire**, laughter.

**risquer**, *tr.*, to risk; **se —**, to venture.

**rit**, *pres. ind.* of **rire**.

**rivaliser**, *intr.*, to vie, compete.

**la robe**, dress, gown.

**le roi**, king.

**le rôle**, part; **à tour de —**, in turn.

**le roman**, novel.

**rompre**, *tr.*, to break.

**la ronde**, round, patrol.

**la rose**, rose.

**le rose**, pink color.

**rosser**, *tr.*, to thrash.

**roucouler**, *intr.*, to coo.

**rouge**, *adj.*, red.

**le rouge**, red.

**rougi, -e**, *past part.*, reddened.

**la roulette**, roller, caster.

**la ruche**, hive.

**la rue**, street.

**le ruisseau**, brook.

### S

**s'** = **se**, *or* **si** *before* **il** *and* **ils**.

**sa**, *poss. adj., f.*, his, her, its.

**Saba**, Sheba, *a south Arabian district*.

**le sabot**, wooden shoe; (*coll.*), blockhead.

**le sabre**, saber.

**le sac**, bag; **— à vin**, drunken sot, guzzler.

**saccager**, *tr.*, to ransack.

**sachant**, *pres. part.* of **savoir**.

**sacré, -e**, *adj.*, sacred.

**sain, -e**, *adj.*, healthy, sound.

**saint, -e**, *adj.*, holy.

**sais**, *pres. ind.* of **savoir**.

**saisir**, *tr.*, to seize, take hold of, understand.

**la saison**, season.

**sale**, *adj.*, dirty.

**salé, -e**, *adj.*, salt.

**la salle**, hall, room, court.

**le salon**, drawing room.

## Vocabulary

**saluer**, *tr.*, to salute, greet, bow to.
**le salut**, salute, bow.
**le sang**, blood; **bon —**, *excl.*, by Jove! good gracious!
**sanglant, -e**, *adj.*, bloody.
**sans**, *prep.*, without, but for; **— que**, *conj.*, without.
**la santé**, health.
**sapristi**, *excl.*, by Jove, dear me.
**satisfait, -e**, *adj.*, pleased.
**sauf, sauve**, *adj.*, safe.
**sauf**, *prep.*, save.
**saur** *or* **saure**, *adj.*, sorrel; **hareng —**, red herring, bloater.
**sauras**, *fut.*; **saurait**, *cond.*; **saurez**, *fut.*; **sauriez**, *cond. of* **savoir**.
**sauter**, *tr.*, to jump over.
**sauver**, *tr.*, to save; **se —**, to flee, run away.
**savant, -e**, *adj.*, learned.
**savoir** (**sachant, su, je sais, je sus, je saurai, je sache**), *tr.*, to know; **se —**, to be known.
**la saynète**, playlet.
**le scélérat**, scoundrel, villain.
**la scène**, scene, stage.
**la science**, science.
**scientifique**, *adj.*, scientific.
**le scrutin**, ballot.
**se**, *pers. pron.*, oneself, himself, herself, itself, each other, one another; to oneself, to himself, *etc.*

**la séance**, sitting, meeting.
**Sébastopol**, *a seaport on the Black Sea; a boulevard in Paris.*
**sec, sèche**, *adj.*, dry.
**second, -e**, *adj.*, second.
**le second**, the second part.
**le secours**, help; **au —!** help!
**la secousse**, shaking, slight shock.
**le secrétaire**, secretary.
**la sécurité**, safety; **en —**, safe.
**le séjour**, stay, place, abode, habitat.
**le sel**, salt; *pl.*, smelling salts.
**selon**, *prep.*, according to.
**le semblant**, pretense; **faire —**, to pretend.
**sembler**, *intr.*, to seem.
**semer**, *tr.*, to sow (*seed*).
**sens**, *pres. ind. of* **sentir**.
**le sentiment**, sentiment, feeling.
**sentimental, -e**, *adj.*, sentimental.
**la sentinelle**, sentry; **en —**, on guard.
**sentir** (**sentant, senti, je sens, je sentis**), *tr.*, to feel, experience, smell, scent; **se —**, to feel that one is . . .
**sept**, *num. adj.*, seven.
**septembre**, *m.*, September.
**sera, serai**, *fut.*; **serais, serait**, *cond.*; **seras, serez**, *fut. of* **être**.

**le sergent**, sergeant.
**serons, seront**, *fut. of* **être**.
**la serre**, hot-house.
**serrer**, *tr.*, to press, shake.
**sert**, *pres. ind. of* **servir**.
**la servante**, servant.
**le service**, service.
**servir** (servant, servi, je sers, je servis), *tr.*, to serve; — **de**, to serve as; **ne — de rien**, to be of no avail; **se — de**, to make use of.
**le serviteur**, servant.
**seul, -e**, *adj.*, alone, only.
**seulement**, *adv.*, only; even.
**le sévère**, sternness, serious.
**si**, *conj.*, if, whether; *adv.*, so, so much, yes; — **bien que**, *conj.*, so that.
**le siècle**, century.
**le siège**, seat, chair.
**le sien, la sienne**, *poss. pron.*, his, hers, its.
**la sieste**, siesta, nap.
**siffler**, *intr.*, to whistle.
**le signal**, signal.
**le signe**, sign, indication, nod; **faire — à**, to motion to.
**signer**, *tr.*, to sign.
**signifier**, *tr.*, to mean.
**le silence**, silence.
**le sillon**, furrow; *pl.*, fields.
**simple**, *adj.*, simple, mere, plain.
**simplement**, *adv.*, simply, candidly.
**le simulacre**, pretense.

**sincère**, *adj.*, sincere.
**singulier, -ière**, *adj.*, singular, strange.
**sinon**, *conj.*, if not, otherwise.
**le site**, site, spot.
**la situation**, situation.
**six**, *num. adj.*, six.
**sixième**, *num. adj.*, sixth.
**la société**, society, club.
**la sœur**, sister.
**soient**, *pres. subj. of* **être**.
**soigner**, *tr.*, to take care of, attend to.
**le soin**, care; **donner ses —s à**, to attend to, look after.
**le soir**, evening.
**la soirée**, evening.
**sois**, *pres. subj. and impv.*; **soit**, *pres. subj. of* **être**.
**soit**, *adv.*, either, or; *excl. (sound the* t), let it be so, all right.
**soixante**, *num. adj.*, sixty; — **-quinze**, seventy-five.
**le soldat**, soldier, private.
**le soleil**, sun.
**la solution**, solution.
**sombre**, *adj.*, dark.
**le sommeil**, sleep.
**sommer**, *tr.*, to summon, call upon.
**sommes**, *pres. ind. of* **être**.
**songer**, *intr.*, to think.
**sonner**, *tr.*, to ring; *intr.*, to ring the bell.
**sont**, *pres. ind. of* **être**.
**sort**, *pres. ind. of* **sortir**.

la sorte, sort; de la —, thus, so, in that way, in such a way; en — que, *conj.*, so that.

la sortie, going out, exit, egress.

sortir (sortant, sorti, je sors, je sortis), *intr.*, to go out.

le sot, fool.

la sottise, foolishness; faire la — de, to be foolish enough to.

le sou, cent.

le souci, care, anxiety.

se soucier, *refl.*, to care.

souffert, -e, *past part. of* souffrir.

le souffle, breath.

souffler, *intr.*, to blow.

le soufflet, slap (*in the face*).

souffrir (souffrant, souffert, je souffre, je souffris), *tr. and intr.*, to suffer, endure, bear.

le souhait, wish; à vos —s, may your wishes come true (*when any one sneezes*).

souhaiter, *tr.*, to wish.

le soulagement, relief.

soulager, *tr.*, to relieve.

soumettre (soumettant, soumis, je soumets, je soumis), *tr.*, to submit, subject, put through, propose; se —, to submit, comply.

la soupe, soup.

le souper, supper.

souper, *intr.*, to eat supper.

le soupir, sigh.

soupirer, *intr.*, to sigh.

sourd, -e, *adj.*, deaf.

le sourd, deaf person.

sourire (souriant, souri, je souris, je souris), *intr.*, to smile.

le sourire, smile.

sous, *prep.*, under.

sous, *pl. of* sou.

le sous-lieutenant, second lieutenant.

le sous-officier, non-commissioned officer.

se soustraire (se soustrayant, s'étant soustrait, je me soustrais, *past def. missing*), *refl.*, to avoid, get exempted.

soutenir (soutenant, soutenu, je soutiens, je soutins, je soutiendrai, je soutienne), *tr.*, to sustain, support, strengthen.

soutiens, *impv. of* soutenir.

se souvenir (se souvenant, s'étant souvenu, je me souviens, je me souvins, je me souviendrai, je me souvienne), *refl.*, to remember.

souvent, *adv.*, often.

souviens, *impv. of* se souvenir.

soyez, soyons, *pres. subj. and impv. of* être.

le spadassin, bully.

spécial, -e, *adj.*, special.

le stratagème, stratagem.

**la strophe**, stanza.
**stupéfait, -e**, *adj.*, astounded.
**stupidement**, *adv.*, stupidly.
**subir**, *tr.*, to undergo.
**subitement**, *adv.*, suddenly.
**sublime**, *adj.*, sublime.
**subtil, -e**, *adj.*, subtle, delicate.
**le sucre**, sugar.
**suffire (suffisant, suffi, je suffis, je suffis)**, *intr.*, to suffice, be enough.
**suffoqué, -e**, *past part.*, choking with anger.
**suggérer**, *tr.*, to suggest.
**la suggestion**, suggestion.
**suis**, *pres. ind. of* **être** *or* **suivre**.
**la suite**, consequence; **tout de —**, at once, immediately.
**suivant, -e**, *adj.*, following.
**suivre (suivant, suivi, je suis, je suivis)**, *tr.*, to follow.
**le sujet**, subject, topic, part.
**superbe**, *adj.*, superb, splendid, proud, handsome.
**superficiellement**, *adv.*, superficially.
**le supérieur**, superior officer.
**la supériorité**, superiority.
**le supplice**, torment.
**supplier**, *tr.*, to entreat, beg.
**supposer**, *tr.*, to suppose.
**la supposition**, supposition.
**supprimer**, *tr.*, to suppress.
**sur**, *prep.*, on, upon, at.
**sûr, -e**, *adj.*, sure, certain.
**sûr**, *adv.*, surely.
**la surdité**, deafness.
**surpris, -e**, *adj.*, astonished.
**la surprise**, surprise.
**le sursaut**, start; **en —**, with a start.
**surtout**, *adv.*, especially.
**survivre (survivant, survécu, je survis, je survécus)**, *intr.*, to survive.
**la sympathie**, cordial feelings.
**sympathique**, *adj.*, sympathetic.
**symptomatique**, *adj.*, symptomatic.
**le synonyme**, synonym.

## T

**t'** = **te**.
**ta**, *poss. adj., f.*, your.
**la table**, table.
**le tableau**, blackboard.
**la tâche**, task, work.
**se taire (se taisant, s'étant tu, je me tais, je me tus)**, *refl.*, to be silent, keep still.
**le talent**, talent.
**le tambour**, drummer.
**tandis que**, *conj.*, while.
**tant**, *adv.*, so much, so many.
**la tante**, aunt.
**tantôt**, *adv.*, presently, by and by; **— ... —**, now ... now.
**taquiner**, *tr.*, to tease; **— la muse**, to dabble in poetry.
**tard**, *adv.*, late.

le tas, heap, lot, armful.
la tasse, cup.
tâter, *tr.*, to feel.
te, *pers. pron.*, you, to you.
tel, -le, *adj.*, such.
le témoignage, token.
témoigner, *tr.*, to show.
la tempe, temple.
la tempête, storm.
temporaire, *adj.*, temporary, acting.
le temps, time, weather; de — en —, from time to time.
tendre, *tr.*, to stretch, hold out, strain, offer.
le teneur de livres, bookkeeper.
tenez, *impv. of* tenir; *excl.*, take this, see, here.
tenir (tenant, tenu, je tiens, je tins, je tiendrai, je tienne), *tr.*, to hold, get, keep.
la tentative, attempt, effort.
la terre, earth, ground, land, soil; à —, on the ground, down.
la terreur, terror.
terrible, terrible, dreadful.
tes, *poss. adj. pl.*, your.
le testament, will.
la tête, head; — à perruque, wigmaker's block, blockhead; en —, in front, first; se mettre en — de, to take into one's head to.
têtu, -e, stubborn.

le théâtre, theater, stage.
la théorie, theory, book on drill regulations, school of the soldier, drill.
tiède, *adj.*, lukewarm, mild.
tiens, *pres. ind. and impv. of* tenir; *excl.*, hello, take this, see here, why.
tient, *pres. ind. of* tenir.
timidement, timidly, fearfully.
le tintamarre, racket.
tirer, *tr.*, to draw, pull, get out, shoot; — le cordon, to open the door (*by pulling a string or a wire*).
le tiroir, drawer.
tisser, *tr.*, to weave.
le titre, title.
tituber, *intr.*, to stagger.
le tocsin, tocsin, fire alarm.
toi, *pers. pron.*, you, to you; -même, yourself.
la toile, canvas, painting.
le toit, roof.
tomber, *intr.*, to fall, fall down, drop.
ton, ta, tes, *poss. adj.*, your.
le tonneau, cask, barrel.
le tort, wrong; à —, unduly; à — et à travers, at random; avoir —, to be wrong; avoir grand —, to be very wrong.
tôt, *adv.*, soon.
toucher, *tr.*, to touch; *intr.*, to be within sight; — là,

to shake hands; se — le front, to tap one's forehead.

toujours, *adv.*, always, still.

le tour, turn; à mon —, in my turn; à — de rôle, in turn; faire le — de, to walk around; faire un petit —, to take a short walk.

tourner, *tr.*, to turn.

Tours, *a French city.*

la tourte, tart, fruit pie; (*coll.*), pie face.

tout, toute, tous, toutes, *adj.*, all, whole, every, any; tout le monde, everybody; tous les jours, every day.

tout, *pron.*, all, everything.

le tout, whole; du —, pas du —, ne . . . pas du —, not at all; rien du —, nothing at all.

tout, *adv.*, wholly, completely, quite; — à l'heure, in a little while, a little while ago; — de même, just the same; — de suite, immediately, at once; — d'un coup, all of a sudden; — en, while; — en haut, at the very top.

la trace, trace, mark.

traduire (traduisant, traduit, je traduis, je traduisis), *tr.*, to translate, arraign, hale.

tragiquement, *adv.*, tragically.

trahir, *tr.*, to betray; se —, to betray oneself.

la trahison, treason.

le train, train; grand —, quickly; être en — de, to be busy.

traîner, *tr.*, to drag, hale.

le traitement, treatment.

traiter, *tr.*, to treat; — de, to give the title of, call.

le traître, traitor, villain.

tranquille, *adj.*, tranquil, alone; être —, to set one's mind at ease.

tranquillement, *adv.*, quietly, calmly.

se tranquilliser, *refl.*, to set one's mind at ease.

transporter, *tr.*, to take, remove; se —, to go.

le travail, work.

travailler, *intr.*, to work.

le travers, breadth; à —, through; à tort et à —, at random.

trébucher, *intr.*, to stumble, trip.

le treillis, coarse cotton.

treize, *num. adj.*, thirteen.

tremblant, -e, *adj.*, trembling.

trembler, *intr.*, to tremble.

trempé, -e, *past part.*, dipped, soaked, wet.

trente, *num. adj.*, thirty.

trépaner, *tr.*, to trepan, trephine; se faire —, to have oneself trepanned.

très, *adv.*, very, very much.

# Vocabulary

le **trésor**, treasure.
le **trésorier**, treasurer.
le **tribut**, tribute, return.
la **Trinité**, Trinity Sunday (56 *days after Easter Sunday*).
le **triomphe**, triumph.
**triste**, *adj.*, sad.
**tristement**, *adv.*, sadly.
**trois**, *num. adj.*, three; — à —, three by three.
**troisième**, *num. adj.*, third.
le **troisième**, third floor.
**tromper**, *tr.*, to deceive; se — de, to get the wrong . . .
le **trompeur**, deceiver, cheat.
**trop**, *adv.*, too, too much, too many, too well.
**trotter**, *intr.*, to trot; se — (*coll.*), to "duck."
**trouble**, *adj.*, dim.
**troubler**, *tr.*, to disturb, agitate, affect.
**trouer**, *tr.*, to make a hole in, rip.
le **troupeau**, flock.
**trouver**, *tr.*, to find; se —, to find oneself, be, happen to be, happen, turn out.
**tu**, *pers. pron.*, you.
**tuer**, *tr.*, to kill.
le **tumulte**, tumult, uproar.
**turc**, **turque**, *adj.*, Turkish; à la turque, in the Turkish fashion.
le **tuteur**, guardian.
la **tyrannie**, tyranny.

## U

**un**, **-e**, *art.*, a, an; *num. adj.*, one; *pron.*, one; les —s, some.
l'**unanimité**, *f.*, unanimity; à l'—, unanimously.
**unique**, *adj.*, only, single.
s'**unir**, *refl.*, to be united; — à, to follow.
l'**usage**, *m.*, usage, use; d'—, customary.
**utile**, *adj.*, useful.
l'**utile**, *m.*, what is useful.

## V

**va**, *pres. ind. and impv. of* **aller**; *excl.*, I tell you, come.
la **vache**, cow.
la **vague**, wave.
**vain**, **-e**, *adj.*, vain; en —, vainly.
**vais**, *pres. ind. of* **aller**.
la **valise**, suitcase.
le **vallon**, small valley, dale.
le **valseur**, waltzer.
**vantard**, **-e**, *adj.*, boastful, bragging.
la **vapeur**, vapor.
**varier**, *tr.*, to vary.
**vas**, *pres. ind. of* **aller**.
le **vase**, vase.
la **veine**, vein.
le **velours**, velvet.

**Vendôme**, *a French town; a princely family; a square in Paris.*

**vendre**, *tr.*, to sell.

**venger**, *tr.*, to avenge; **se —**, to avenge oneself.

**vengeur, –euse**, *adj.*, avenging.

**venir** (**venant, venu, je viens, je vins, je viendrai, je vienne**), *intr.*, to come; **— à** (*followed by infinitive*), to happen to; **— de** (*followed by infinitive*), to have just (*followed by past participle*); **faire —**, to fetch, bring, send for.

**Venise**, Venice (*Italy*).

**le vent**, wind.

**le ventricule**, ventricle.

**le nouveau venu**, newcomer.

**verbal, –e**, *adj.*, verbal.

**véritable**, *adj.*, true, real.

**la vérité**, truth.

**vermeil, –le**, *adj.*, vermilion, bright red.

**verra, verrez, verront**, *fut. of* **voir**.

**le vers**, line.

**vers**, *prep.*, towards.

**vert, –e**, *adj.*, green.

**la vertu**, virtue, quality, efficacy.

**la veste**, short jacket.

**le veston**, short coat.

**vêtir** (**vêtant, vêtu, je vêts, je vêtis**), *tr.*, to dress.

**veuille**, *pres. subj.*; **veuillez**, *impv.*; **veulent, veut**, *pres. ind. of* **vouloir**.

**le veuvage**, widowhood.

**la veuve**, widow.

**veux**, *pres. ind. of* **vouloir**.

**vibrant, –e**, *adj.*, vibrating.

**le vice-président**, vice president.

**la victoire**, victory.

**la vie**, life.

**vieil, vieille**, *see* **vieux**.

**la vieille**, old woman.

**vieillir**, *intr.*, to grow old.

**viendra**, *fut.*; **vienne**, *pres. subj.*; **viennent**, *pres. ind.*; **viens**, *pres. ind. and impv.*; **vient**, *pres. ind. of* **venir**.

**vieux, vieil, vieille**, *adj.*, old; **mon —**, old man.

**vif, vive**, *adj.*, lively, great.

**vilain, –e**, *adj.*, ugly, unpleasant.

**le village**, village.

**la ville**, town; **en —**, in town, out.

**le vin**, wine.

**vingt**, *num. adj.*, twenty.

**la violette**, violet.

**vis**, *pres. ind. of* **vivre** *or past def. of* **voir**.

**la visière**, visor.

**la visite**, visit; **carte de —**, visiting card.

**vit**, *pres. ind. of* **vivre** *or past def. of* **voir**.

**vite**, *adv.*, quickly.

# Vocabulary

**a vitrine**, show window.
**vive**, *pres. subj. of* **vivre**.
**vivement**, *adv.*, quickly, sharply.
**vivre** (**vivant, vécu, je vis, je vécus**), *intr.*, to live; **vive la France!** long live France! **qui vive?** who is there?
**la vocation**, vocation.
**le vœu**, wish.
**voici**, *adv.*, here is, here are; **le —**, here it is; **me —**, here I am.
**la voie**, way, road.
**voilà**, *adv.*, there is, there are, that is; **les —**, there they are; **— que**, behold, all of a sudden.
**voir** (**voyant, vu, je vois, je vis, je verrai, je voie**), *tr.*, to see; **faire —**, to let see, show; **se —**, to see oneself, see each other.
**le voisin, la voisine**, neighbor.
**la voix**, voice, vote; **la mettre aux —**, to have it voted upon.
**le vol**, theft, larceny.
**voler**, *tr.*, to steal, rob.
**le voleur**, thief; **au —**, stop thief!
**volontiers**, *adv.*, willingly, readily.
**vont**, *pres. ind. of* **aller**.
**vos**, *poss. adj. pl.*, your.

**le vote**, vote.
**voter**, *intr.*, to vote.
**votre, vos**, *poss. adj.*, your.
**le vôtre, la vôtre**, *poss. pron.*, yours.
**voudrais, voudrait**, *cond.;* **voudrez**, *fut.;* **voudrions**, *cond.;* **voudront**, *fut. of* **vouloir**.
**vouloir** (**voulant, voulu, je veux, je voulus, je voudrai, je veuille**), *tr.*, to wish, want, like, insist; **— dire**, to mean; **— bien**, to be kind enough, like indeed.
**vous**, *pers. pron.*, you, to you; **— -même**, yourself.
**le voyage**, journey, trip.
**voyais**, *impf. ind.;* **voyant**, *pres. part. of* **voir**.
**la voyelle**, vowel.
**voyez**, *pres. ind. and impv. of* **voir**.
**voyons**, *pres. ind. and impv. of* **voir**; *excl.*, let me tell you, come, suppose.
**vrai, -e**, *adj.*, true, real, proper.
**vraiment**, *adv.*, truly, really.
**vu, -e**, *past part. of* **voir**.
**la vue**, view, sight, eyesight.
**vulgaire**, *adj.*, vulgar, common, mere.

## W

**le wagon** (*sound* **w** *like* **v**), railroad carriage.

## Y

**y,** *adv.*, there, in it, to it, about it, in them, to them, about them.

**yeux,** *pl. of* œil, eyes.

## Z

le **zèle,** zeal.

le **zoiseau,** *popular pronunciation of* l'oiseau, bird.

**zut** (*sound the* t), *excl.*, leave me alone, confound it.